ココミ

湯布院 別府
阿蘇 黒川温泉

朝霧が幻想的な金鱗湖(☞P18)。早朝の遊歩道散策がおすすめ

美しい自然に囲まれた おもてなしの温泉リゾートへ

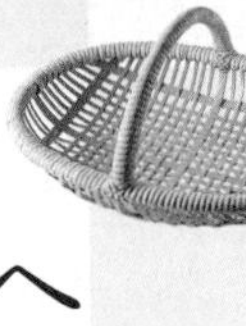

左：鞠智(☞P33)のモンブランどら焼き／右：別府クラフトの竹かご(由布院市☞P36)
下左から、亀の井別荘(☞P45)、地元の食材を使った、プロシュート・クルード(榛の丘☞P29)、大分川沿いから望む由布岳

湯布院の美しい自然を体験できる辻馬車(☞P17)

金鱗湖を一望できるテラス席。カフェ ラ リューシュ(☞P19)

カフェ ラ リューシュのモーニングプレート(☞P19)

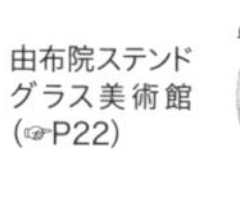

由布院ステンドグラス美術館(☞P22)

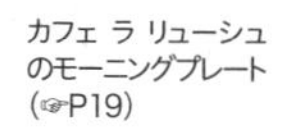

湯布院

湖畔のカフェ、アート鑑賞、ショッピング・・・etc
湯布院はお楽しみがいっぱいです

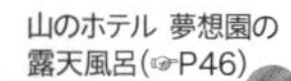

山のホテル 夢想園の露天風呂(☞P46)

B-speakのふわふわロールケーキ(☞P38)

湯布院の茶舗が手がける日本茶 5toku(☞P43)

音楽をテーマにした作品を展示するartegio(☞P24)

下左から、亀の井別荘(☞P45)の談話室、由布院 玉の湯(☞P44)の客室内風呂、亀の井別荘の大浴場(☞P45)

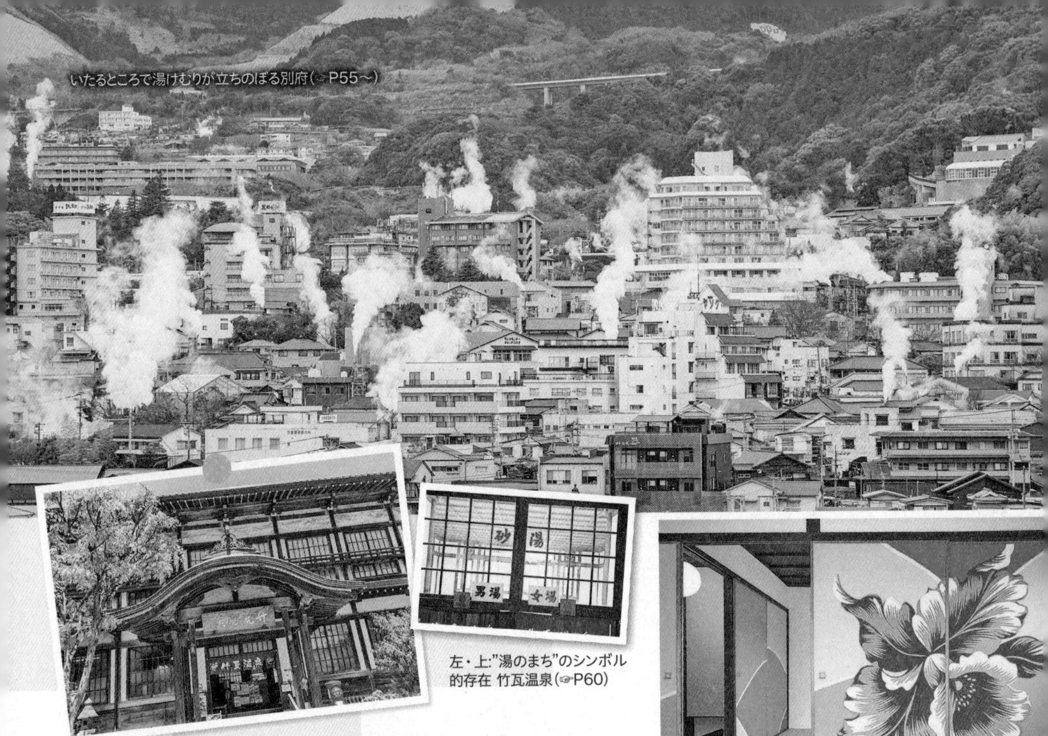

いたるところで湯けむりが立ちのぼる別府(☞P55～)

左・上:"湯のまち"のシンボル的存在 竹瓦温泉(☞P60)

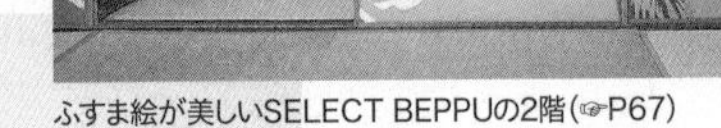

ふすま絵が美しいSELECT BEPPUの2階(☞P67)

別府

街中から湯けむりが立ちのぼる日本屈指の温泉パラダイス

素材本来の味を堪能できる地獄蒸し工房 鉄輪(☞P59)

「地獄二丁目」では鬼がお出迎え。かまど地獄(☞P58)

別府の地獄のなかで最大規模を誇る海地獄(☞P58)

もくもくと白い蒸気が吹き出す山地獄(☞P58)

黒川温泉のシンボル的存在の丸鈴橋(☞P87)

黒川温泉

カラコロと下駄を鳴らして湯めぐりさんぽ

入湯手形(☞P86)

いこい旅館のオリジナルグッズ(☞P92)

温泉卵を販売する宿も(☞P86)

黒川荘(☞P94)のびょうぶ岩露天風呂(宿泊者専用)

広大な牧草地の間を走るミルクロード(☞P102)

ドライブ途中で牛や馬に出合えるかも(☞P102)

阿蘇

大自然のなかを爽快ドライブ

阿蘇大観峰茶店の手作りのプリンソフト(☞P107)

熊本産の完熟トマトを原料にしたとまとケチャップ(☞P107)

湯布院ってどんなところ?

由布岳の麓に広がる おしゃれな温泉リゾートです

豊かな自然に囲まれた温泉地、御三家とよばれる名宿をはじめ、個性豊かな宿が揃う。温泉もグルメもショッピングもJR由布院駅から徒歩圏内に集まる利便性の高さも人気の秘密。

春の菜の花や桜や秋の紅葉、新緑の季節も美しい

グリーンのボディが印象的なD&S列車特急「ゆふいんの森」(☞P17)

湯布院へはどうやって行く?

大分空港からバスで1時間弱 福岡からもアクセス良好

湯布院へは大分空港から空港連絡バスで55分、福岡空港からの直行高速バス「ゆふいん号」で1時間39分。博多駅や別府駅から観光列車「ゆふいんの森」(☞P17)も利用できる。

はじめての湯布院で何をする?

御三家宿や金鱗湖界隈 湯の坪街道を散歩

まずは御三家宿(☞P44)へ。カフェやショップなどは宿泊しなくても利用できる。緑豊かな金鱗湖周辺(☞P18)やみやげ店が軒を連ねる湯の坪街道(☞P20)を散策しよう。

亀の井別荘(☞P45)の喫茶室・茶房 天井桟敷(☞P23)

カフェ ラ リューシュ(☞P19)でひと休み

湯布院・別府・黒川・阿蘇へ旅する前に知っておきたいこと

九州を代表する人気観光地、湯布院・別府・黒川・阿蘇。
まずは湯布院を把握して、+αで楽しみたいエリアをチェック!
事前にしっかり予習して、旅を存分に楽しみましょう。

湯布院で食べたいもの・買いたいものは？

地元グルメに定番スイーツ、おしゃれ雑貨をチェック！

みずみずしいゆふいん野菜（☞P30）をはじめ大分のブランド牛「豊後牛」（☞P28）、地鶏や川魚など地元グルメが豊富。みやげは定番のロールケーキ（☞P38）を。センスのいい雑貨（☞P36）も見つかります。

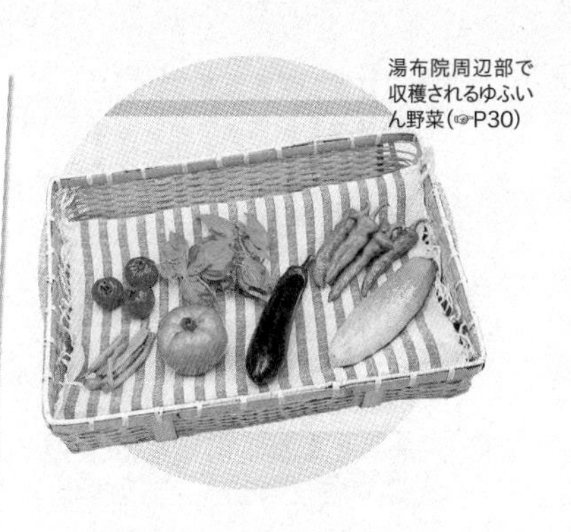

湯布院周辺部で収穫されるゆふいん野菜（☞P30）

湯布院から別府や黒川、阿蘇へはどのぐらい？

いずれも移動はバス 別府へはバスで 50 分ほど

湯布院から各エリアへの移動はバスがメイン。大分空港からなら別府の方が手前になるので、空港から別府に立ち寄り、その後、湯布院入りするのも手。黒川温泉へはバスで1時間30分ほど。阿蘇へもバスで2時間20分ほど（☞P110～113）。

温泉湧出量日本一。あちこちから湯けむりが上がる別府（☞P56）

何泊ぐらいの旅がいい？

別府～湯布院～黒川で 2 泊 3 日 余裕があれば阿蘇へ

湯布院だけなら1泊2日、別府と黒川も含めると2泊3日程度。周遊するなら大分空港INで別府～湯布院、黒川～阿蘇と3泊4日で楽しみ、阿蘇くまもと空港でOUTする方法も（☞P11）。別府ではアートと温泉街さんぽ（☞P56）、黒川では露天風呂巡り（☞P84）、阿蘇では多彩な遊びスポット（☞P106）が人気です。

阿蘇の雄大な自然を楽しみたい

※平成28年（2016）熊本地震の影響により、阿蘇周辺の道路に通行規制の箇所がありますので、おでかけの際には最新の情報をご確認ください。

湯布院・別府・黒川・阿蘇ってこんなところ

湯布院、別府などを擁する国内屈指の一大温泉地。黒川は露天風呂めぐりが、阿蘇はダイナミックな自然が魅力です。

大分県、熊本県にまたがる4つの観光エリアを覚えましょう

九州屈指の人気を誇る温泉地。九州中央部の北東に位置し、湯布院、黒川、阿蘇では山の自然のなかで、別府では海を望みながら温泉が楽しめる。オシャレに温泉旅を楽しむなら湯布院や黒川を、レトロな温泉情緒なら別府、大自然でリフレッシュなら阿蘇を目指して。

プランに応じて選びたい基点となる3つの空港

湯布院、別府の最寄りは大分空港だが、飛行機の発着本数が多い福岡空港を利用し、福岡観光をセットにするのも手。阿蘇まで行く場合は阿蘇くまもと空港から帰る方法もある。観光地間は、別府～湯布院～黒川～阿蘇～熊本市内を結ぶ九州横断バス(☞P111)が便利。

ゆふいん 湯布院 1

…P16

ハイクオリティなもてなしと豊かな自然とのバランスがよく、全国から観光客が訪れる。

▲メインストリートの湯の坪街道

▲山荘無量塔プロデュース、B-speak(☞P38)のロールケーキ

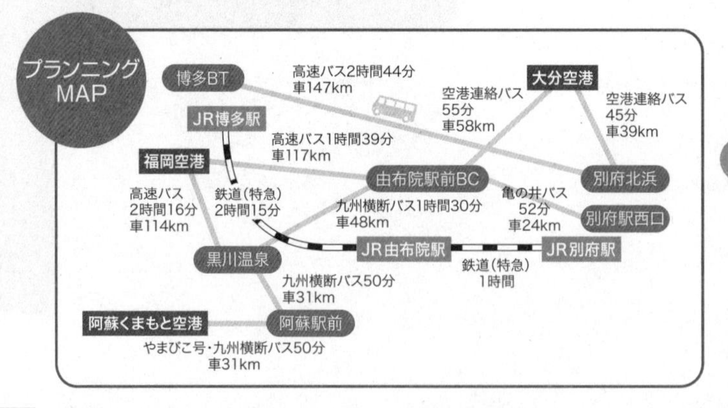

※平成28年(2016)熊本地震の影響により、阿蘇周辺の道路に通行規制の箇所がありますので、おでかけの際には最新の情報をご確認ください。

べっぷ
別府 ②

…P56

温泉湧出量、源泉数ともに日本一の温泉天国。温泉蒸し料理やアートスポットにも注目。

▲別府のシンボル的存在、竹瓦温泉（☞P60）

◀ふくろく（☞P92）で探せる愛らしいみやげ

▲旅館わかば（☞P88）の風呂も、入湯手形が利用できる

くろかわ・おぐにごう
黒川・小国郷 ③

…P84

入湯手形を使う露天風呂はしご が楽しい黒川温泉。小国郷は小さな温泉街が点在し、静かに温泉を楽しむのに最適。

あそ
阿蘇 ④

…P102

世界最大級といわれるカルデラ内は息をのむ雄大なパノラマビューの連続。活火山が生んだ日本随一の絶景が見られる。

まだまだあります！魅力的なエリア

ゆのひらおんせん
湯平温泉

☞P54

湯布院の奥座敷とも称される小さな温泉街。毎夜点灯される赤提灯や石畳が印象的。

ながゆおんせん
長湯温泉

☞P82

世界屈指の高濃度炭酸泉が湧く「ラムネ温泉館」（写真）が人気で年間10万人が訪れる。

せのもとこうげん
瀬の本高原

☞P100

「界 阿蘇」（写真）をはじめとした、オーベルジュやスパなどが集まる高原リゾート。

1日目

出発～！

10:30 別府駅

JR別府駅へは大分空港からリムジンバス空港特急エアライナーで53分。

11:00 竹瓦温泉（たけがわら）

明治時代から市民に愛されている街なかの温泉は、別府のシンボル的存在（☞P60）。

12:00 地獄めぐり

海地獄やかまど地獄など計7つの地獄めぐりは、大分随一の観光スポット（☞P58）。

ココでしか食べられません

50年以上続く海地獄の名物、極楽饅頭は温泉で蒸し上げた手作り品です（☞P58）。

ランチは別府名物を

12:45 地獄蒸し工房 鉄輪（かんなわ）

温泉の蒸気熱を使った蒸し料理はヘルシーで、素材のうま味が引き立ちます（☞P59）。

14:00 SELECT BEPPU（せれくとべっぷ）

別府の街なかではアートプロジェクトを展開。アート探しに出かけましょう（☞P67、73）。

16:00 由布院駅

別府から由布院駅までは亀の井バスで50分ほど。由布院駅のホームにはあし湯が（☞P43）。

ぶらり歩きが楽しい

湯布院の老舗店からニューフェイスのお店までが並ぶ、湯の坪街道を散策（☞P20）。

17:00 湯布院の宿

客室や露天風呂、食事処などから由布岳の絶景が望めるくつろぎ宿へ（☞P46）。

本格派のバーで一杯

21:00 Bar Stir（すてあ）

しっとりとした雰囲気が漂うバーで大人の夜時間を思いきり満喫（☞P35）。

2日目

おはよう！

8:00 金鱗湖（きんりんこ）

宿でおいしい朝食を食べた後は澄んだ空気が満ちる金鱗湖へおさんぽ（☞P18）。

8:30 Grand'ma& Grand'pa（ぐらんま あんど ぐらんぱ）

田園風景が美しい通りを抜けると現れるパン屋さんは売り切れ必至の人気店（☞P39）。

2泊3日とっておきの 別府～湯布院～黒川温泉の旅

温泉王国九州のなかでも、名湯で知られる別府・湯布院・黒川で温泉三昧の旅。
四季の彩り豊かな絶景や、その土地でしか味わえない旬の味など、
大自然のパワーを五感で感じ、癒やしの時間を満喫しましょう。

辻馬車でぐるっと散策

9:00 宇奈岐日女神社（うなぎひめ）

由布院駅から観光辻馬車（☞P17）に乗って湯布院のパワースポットへ（☞P42）。

10:00 レンタサイクル

湯布院の中心部は平地が多いので自転車での移動するのもおすすめです（☞P17）。

自分みやげに！

10:30 箸屋一膳（はしやいちぜん）

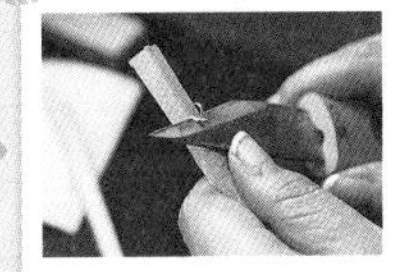

バラエティ豊かな木の手作り箸はみやげにも◎。マイお箸作り体験もぜひ（☞P37）。

12:00 湯の岳庵（ゆのたけあん）

御三家宿の一つ「亀の井別荘」内の食事処。食材にこだわった地元料理が人気（☞P27）。

13:00 鍵屋

オリジナル商品が勢揃いで、どれにしようか迷ってしまうほど（☞P36、41）。

13:30 茶房 天井桟敷（てんじょうさじき）

人気の定番スイーツ、モン・ユフを味わいながらゆっくりカフェタイム（☞P23）。

九州横断バスで黒川温泉へ

黒川温泉までバスで1時間30分。到着後は風の舎（☞P87）で温泉街マップを入手。

17:00 黒川温泉

個性的な露天風呂も多く、狭いエリアに温泉宿がひしめき合う（☞P86）。

3日目

チェックアウトまで浴衣で湯めぐり

8:30 湯めぐり

3つの宿の露天風呂を利用できる入湯手形（☞P86）を購入して、いざ湯めぐりへ出発。

12:00 とうふ吉祥（とうふきっしょう）

熊本県産の大豆とにがり、黒川の源流水を使った手づくり豆腐でランチを（☞P90）。

14:00 白玉っ子 甘味茶屋

ふんわり白玉スイーツとともに旅の思い出話に花を咲かせましょう（☞P91）。

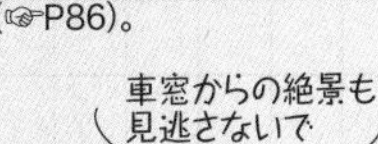

車窓からの絶景も見逃さないで

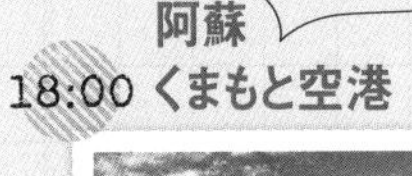

18:00 阿蘇くまもと空港

黒川温泉から九州横断バスで約2時間。阿蘇の風景を車窓から楽しんで。

日程に余裕があればぜひ

プラス1泊すれば阿蘇が満喫できます

雄大な景色を巡る絶景ドライブ

一面に牧草地の緑のじゅうたんが広がる阿蘇。ミルクロードややまなみハイウェイを行くドライブがおすすめです（☞P102）。

森の風を感じるテラス席でお茶

田園風景の中におしゃれでかわいいカフェが点在。心がほっこりする居心地いいカフェで、阿蘇産素材を使ったスイーツを味わって（☞P104）。

ココミル cocomiru

湯布院 別府 阿蘇 黒川温泉

Contents

●表紙写真
湯布院 ゆふふの湯布院たまごロール（P38）、黒川温泉 入湯手形（P86）、カフェ ラ リューシュ（P19）風の舎の風呂敷（P93）、菓匠 花よりの団子（P19）、ギャラリー SORAのふくろう（P23）、柚富の郷 彩岳館の露天風呂（P47）、阿蘇のミルクロード（P102）、海地獄（P58）、竹瓦温泉（P60）

昭和レトロとアートが融合 湯の街・別府を巡りましょう …55

緑あふれる黒川・小国郷で のんびり湯めぐり楽しみましょう …83

見渡す限りの大草原！ 爽やかな阿蘇でリフレッシュ …101

〈マーク〉

- 観光みどころ・寺社
- プレイスポット
- レストラン・食事処
- 居酒屋・BAR
- カフェ・喫茶
- みやげ店・ショップ
- 宿泊施設
- 立ち寄り湯

〈DATAマーク〉

- ☎ 電話番号
- 住 住所
- ¥ 料金
- 開館・営業時間
- 休 休み
- 交 交通
- P 駐車場
- 室 室数
- MAP 地図位置

※平成28年（2016）熊本地震の影響により、阿蘇周辺の道路に通行規制の箇所がありますので、おでかけの際には最新の情報をご確認ください。

名宿でごほうび時間を過ごしましょう

宿のパブリックスペースも素敵

街のシンボル・由布岳の雄姿

ゆふいん野菜のスローフードを

活気ある湯の坪街道が玄関口

素朴でやさしい湯布院らしいお菓子

さわやかな金鱗湖をおさんぽ

朝の湖でこんにちは！

まずは憧れの湯布院で
温泉リゾートを満喫しましょう

一度は訪れたい温泉地のひとつ、湯布院温泉。
由布岳山麓に広がる美しい風景に癒やされます。
素朴さと洗練された雰囲気を併せ持ち、
心地よいもてなしで迎えてくれる温泉リゾートです。

アートの街としても有名です

カフェでひと休み…

たくさんのショップやカフェが
集まる湯の坪街道

一度は訪れたい憧れの温泉地

湯布院
ゆふいん

乙女心をくすぐるみやげは
自分用にも買い求めたい

由布岳を望む豊かな自然のなかに、心地よいもてなしを供する小規模宿が点在。源泉数は別府に次いで全国第2位と温泉も実力派。ゆふいん野菜を使った料理など洗練されたグルメも楽しみ。

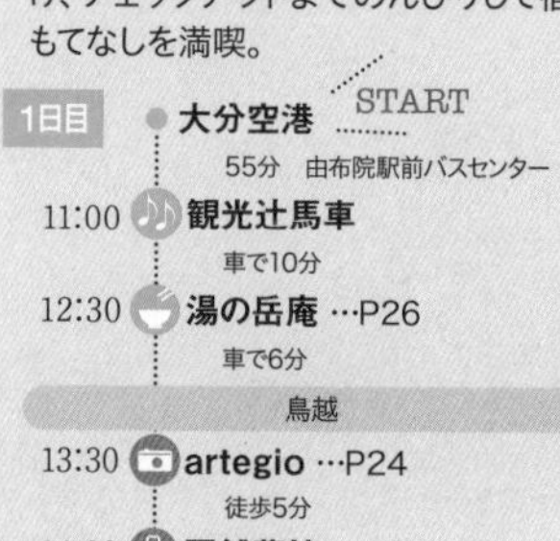

初めてならばココへ！ 湯布院1泊2日プラン

観光辻馬車でひとめぐり後、ランチ〜鳥越〜湯の坪街道散策とたっぷり遊んで宿へ。翌朝は金鱗湖へ朝さんぽに出かけ、チェックアウトまでのんびりして宿のもてなしを満喫。

1日目

- 大分空港 START
  - 55分　由布院駅前バスセンター
- 11:00 **観光辻馬車**
  - 車で10分
- 12:30 **湯の岳庵** …P26
  - 車で6分

鳥越

- 13:30 **artegio** …P24
  - 徒歩5分
- 14:30 **匠舗蔵拙** …P25
  - 車で7分

湯の坪街道周辺

- 15:30 **鞠智** …P33
  - 徒歩3分
- 16:00 **ジャム工房kotokotoya** …P21
  - 徒歩5分
- 16:30 **由布院 玉の湯** …P44

2日目　おはよう！

- 8:20 **由布院 玉の湯**
  - 徒歩10分

金鱗湖周辺

- 8:30 **金鱗湖** …P18
  - 徒歩すぐ
- 10:00 **鍵屋** …P36、41
  - 徒歩20分
- 11:30 **和食もみじ** …P28
  - 徒歩5分
- 14:00 **B-speak** …P38
  - 徒歩5分
- 15:00 **由布院駅前バスセンター**
  - 55分
- **大分空港** GOAL

湯布院はココにあります！

～湯布院 はやわかりMAP～

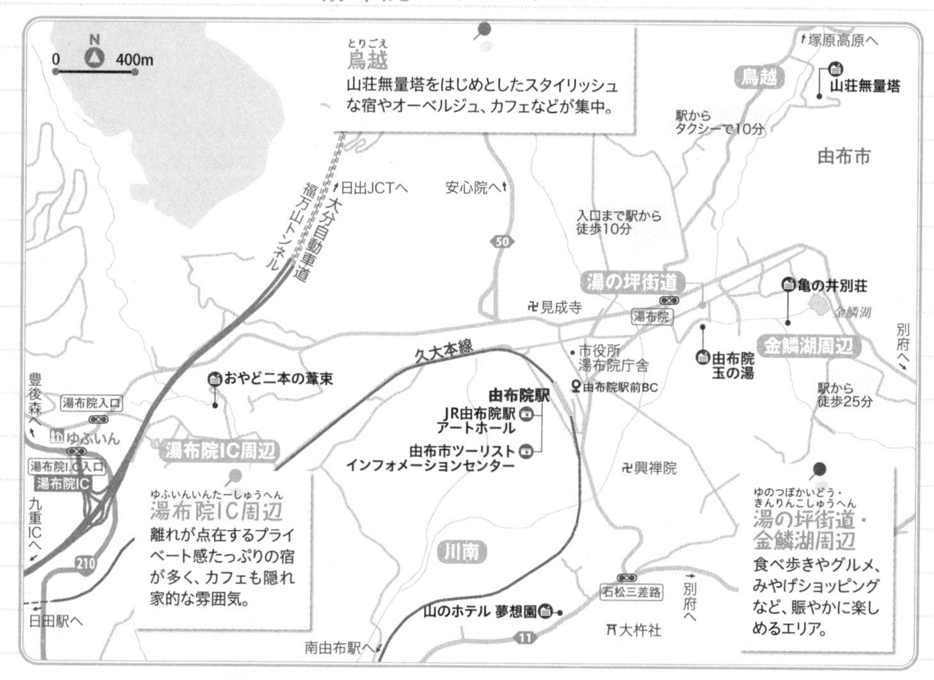

由布院駅発着の楽しい乗り物

便利で楽らく♪

田園情緒が味わえる「**観光辻馬車**」、気ままに巡れる「**レンタサイクル**」の利用で、行動範囲がグッと広がる。すべて由布院駅隣の由布市ツーリストインフォメーションセンターで受付。

☎0977-84-2446(由布市ツーリストインフォメーションセンター) MAP P118B2

DATA

観光辻馬車 ¥ 乗車2200円、レンタサイクル ¥ 1時間300円、以降1時間ごとに300円追加

▲パッカパッカとヒヅメの音も軽快な観光辻馬車

D&S列車 特急「ゆふいんの森」

博多へ、別府へ！

木を多用したレトロで高級感のある内装、湯布院の味が楽しめるビュッフェなどで人気のJR九州のD&S列車 特急「ゆふいんの森」。博多～由布院・別府を結び、所要時間は博多～由布院間約2時間15分、由布院～別府間約1時間。全席指定。

☎0570-04-1717 (JR九州案内センター)

▲深いグリーンの車体がクラシカル

access

バス

大分空港 → 空港連絡バス 湯布院行き55分 → 由布院駅前BC

博多BT → 高速バス湯布院行き 2時間44分 → 由布院駅前BC

鉄道

別府駅 → JR日豊本線、久大本線で約1時間 → 由布院駅

博多駅 → JR久大本線、ゆふいんの森号など約2時間15分 → 由布院駅

車

湯布院IC → 県道216号経由で3km → 由布院駅

※熊本からの行き方はP110参照

問合せ ☎0977-84-2446 由布市ツーリストインフォメーションセンター MAP P118B2

静かな金鱗湖の湖畔でのんびりと朝さんぽを楽しみましょう

散策所要 2時間

やわらかい陽の光がキラキラと水面を照らし、澄んだ空気で満たされる朝の金鱗湖。一日の始まりは、すがすがしい気分になれる朝のおさんぽがおすすめです。

▼よく晴れた日には、湖面に映し出される景色も美しい

朝霧が立ち込める幻想的な光景▶

① 金鱗湖（きんりんこ）

季節の移ろいが美しい湯布院のヒーリングスポット

湖で泳ぐ魚の鱗（うろこ）が夕日で金色に輝いて見えたことから名付けたと伝えられる、湯布院を代表する名所。清水と温泉が流れ込み、年間を通して水温が高い珍しい湖。秋〜冬の冷え込んだ早朝には湖面から霧が立ちのぼる幻想的な光景が見られることも。緑の木立に囲まれ、春から夏にかけての新緑、秋の紅葉、冬には雪景色と、四季を通じて美しい景観を楽しめる。

▲湖の周りには1周約400mの遊歩道を設置

☎0977-84-2446(由布市ツーリストインフォメーションセンター) 住由布市湯布院町川上1561-1 ¥休見学自由 交JR由布院駅から徒歩30分 Pなし MAP P119D3

散歩の途中でパクリ!

湯布院で人気の今泉堂(いまいずみどう)の黒糖あげまんじゅう1個167円。カリカリとした皮と黒餡がマッチ。独特の食感と甘さ控えめのつぶ餡が女性にウケている。☎0977-84-4719 MAP P119D3

▼オリジナルデニッシュが付くモーニングプレート1600円

▲金鱗湖を望むテラス席は人気なのでお早めに

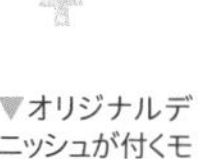

かふぇ ら りゅーしゅぎゃらりーあんどしょっぷ

3 カフェ ラ リューシュ ギャラリー &ショップ

感性を刺激するアートと出合う

ギャラリーでは国内外で話題のアート展を不定期で開催。またショップでは、由布院や大分など地元作家の作品をはじめ全国のクラフトをセレクトしている。

☎0977-28-8500(カフェ ラ リューシュ) 住由布市湯布院町川上1592−1 カフェ・ラ・リューシュ2階 ⏰10～16時 休水曜(臨時休業の場合あり) 交JR由布院駅から徒歩20分 P7台 MAP P119D3

▲ショップには、作り手の思いが伝わるアイテムが並ぶ

徒歩3分

かふぇ ら りゅーしゅ

2 カフェ ラ リューシュ

テラスで優雅なモーニング

金鱗湖に面したテラス席が心地よいカフェ。モーニング1600円～はモーニングプレートやデニッシュトーストセットなどがある。

☎0977-28-8500 住由布市湯布院町川上1592-1 ⏰9～16時LO(日曜、祝日は～16時30分LO) 休水曜(臨時休業の場合あり) 交JR由布院駅から徒歩20分 P7台 MAP P119D3

◀大分の有名喫茶店から味を受け継いだオリジナルコーヒーのドリップバッグ1個194円

▼オリジナルのジャムやオイル漬け、ドレッシングなども

徒歩2分

▲イートインもOKなので散策途中にひと休み

かしょう はなより

4 菓匠 花より

季節に合わせた団子が名物

和菓子職人の店主が丹精込めて炊き上げる自家製餡のみずみずしさは特筆もの。モチモチの団子は、定番のみたらしのほか、ブルーベリーや柚子胡椒など、季節限定の味も登場する。

☎0977-75-8765 住由布市湯布院町川上1488-1 ⏰9時30分～日没 休不定休 交JR由布院駅から徒歩17分 Pなし MAP P119D2

▲団子1本200円～

◀皮がしっとりふわふわ! どら焼き1個270円

金鱗湖の朝霧の正体は、温泉を含んだ湖の水が蒸気化したもの。朝霧は秋から冬にかけての冷え込む早朝に見られることがある。

湯の坪街道で見つけました やさしい味の自然派スイーツ

JR由布院駅から金鱗湖方面へ湯の坪街道をてくてく散策するのも湯布院のお楽しみ。おいしくて体にもやさしいこだわりスイーツを探しに行きましょう。

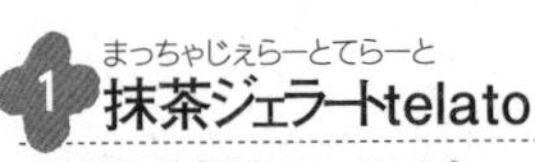

1 抹茶ジェラートtelato

お茶専門店発のスイーツを

看板商品の抹茶ジェラートは抹茶の濃さによって1～5倍の5種。このほか、玉露や煎茶、ほうじ茶味もある。

☎0120-37-2539(麻生茶舗内) 住由布市湯布院町川上2939-4 ⏰10時30分～16時30分 休不定休 交JR由布院駅から徒歩3分 Pなし MAP P118B2

一番人気の3倍抹茶ジェラート(左)とほうじ茶ジェラート(右)各600円

濃い～味♪

ここから湯の坪街道

湯布院散策のメインストリート。人通りも多い。

カリッ＆もっちり

右手前から時計回りに日本茶330円、りんご380円、クラシック330円

2 CARANDONEL

からんどねる

フランス伝統菓子カヌレ専門店

フランスの焼き菓子カヌレの専門店。クラシックや日本茶など約5種のカヌレが並ぶ。栗や金柑など季節の食材も限定で登場。

☎0977-75-9475 住由布市湯布院町川上2939-4 ⏰11～17時 休木曜 交JR由布院駅から徒歩3分 Pなし MAP P118B2

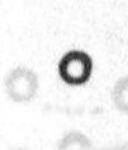

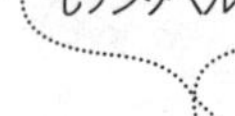

由布見通り

駅前通り

B-speak

(☞P38)

パッケージもかわいい！

もっちりヘルシー

JR由布院駅

3 nicoドーナツ

にこどーなつ

大豆ペーストのドーナツ

国産の雑穀や国産大豆をまるごとペーストにして生地に練り込んだシンプルなドーナツは、さっくりもちもちの食感。

☎0977-84-2419 住由布市湯布院町川上3056-13 ⏰10～17時 休不定休 交JR由布院駅から徒歩3分 P6台 MAP P118B2

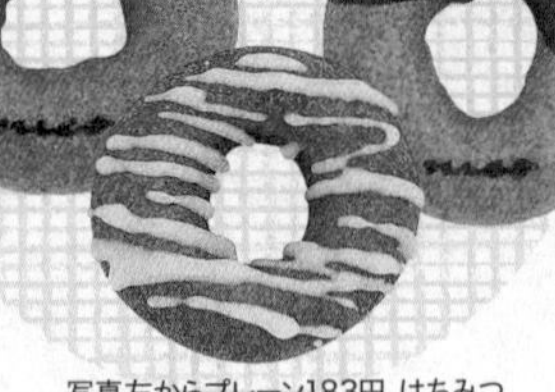

写真左からプレーン183円、はちみつかぼす248円、チョコレート248円

4 ジャム工房kotokotoya
じゃむこうぼうことことや

香料や着色料は一切不使用

果物本来の香りと風味を大切にじっくりコトコト煮込んだ手作りジャム。トーストにはもちろん、ヨーグルトに入れても相性バツグン。

☎0977-85-2203 住由布市湯布院町川上3037 ⏰10～17時 休無休 交JR由布院駅から徒歩8分 Pなし MAP P118C2

写真上から柚子マーマレード730円、苺香りジャム780円、キーウィジャム730円。すべて小瓶125g

下町の風情漂うバラエティ横丁

湯布院の四季折々の素材を使ったみやげ店や食事処12軒が並ぶ**やすらぎ湯の坪横丁**。湯の坪街道沿いで、待ち合わせ場所としても便利です。

☎0977-28-2215 MAP P119D2

5 由布院ミルヒ
ゆふいんみるひ

湯布院産ミルクたっぷり!

ドイツ語で「ミルク」を意味する店名のとおり、ドーナツやプリン、チーズケーキなど地元の牛乳を使ったスイーツが並ぶ。

☎0977-28-2800 住由布市湯布院町川上3015-1 ⏰10時30分～17時30分 休不定休 交JR由布院駅から徒歩9分 Pなし MAP P118C2

バニラビーンズを贅沢に配合したミルヒプディング360円

クランブルスポンジ、チーズスフレの3層構造のケーゼクーヘン280円

湯の坪街道

至 金鱗湖

6 花麹菊家
はなこうじきくや

老舗和菓子店の湯布院銘菓

やすらぎ湯の坪横丁内。由布山系のおいしい水を使ったどら焼きにプリンを挟んだぷりんどらは湯布院みやげの定番。

☎0977-28-2215 住由布市湯布院町川上1524-1 ⏰10～17時 休不定休 交JR由布院駅から徒歩13分 P39台(有料) MAP P119D2

▲小国郷ジャージー牛乳と由布・鶴見の天然水を使ったぷりんどら1個200円。カラメルソースとプリンの絶妙なハーモニー

7 LINGON COOKIES
りんごん くっきーず

手作りのラフさがオシャレ

バターたっぷりの生地にナッツやドライフルーツを合わせたざっくりとしたクッキーが常時25種類ほど。秋～冬にはチョコがけクッキーも登場。

☎0977-84-4968 住由布市湯布院町川上1510-7 ⏰10～16時 休水曜不定休(祝日は営業) 交JR由布院駅から徒歩14分 Pなし MAP P119D2

▶ナッツココア183円
▲バナナチャンク302円
▶クランベリー140円
GURUGURU 183円
▲セサミ140円

JR由布院駅前から宿泊宿へ手荷物移動を代わりにしてくれるサービス**ゆふいんチッキ**1個600円～(MAP P118B2)が便利です。

散策所要 4時間

個性豊かな美術館etc. “アートな街”湯布院をめぐりましょう

ギャラリーや私設の美術館など個性派アートスポットが多く点在している湯布院。カフェや雑貨屋さんに立ち寄りながら、のんびりとアートを探しにでかけませんか。

▲作品は月ごとに替わる。ひと休みしながら気軽にアート鑑賞を

1

スタート！

由布院駅

ゆふいんえき あーとほーる

由布院駅 アートホール

電車を降りてすぐアート鑑賞

JR由布院駅構内にある待合室兼ギャラリー。一般公募で選ばれた作品を月替わりで展示。駅舎は、建築家磯崎新(いそざきあらた)氏の設計で建てられており、礼拝堂をイメージして作られた待合室には天井から自然光が降り注ぐ。

▲モダンでシックな印象の駅舎

☎0977-84-4678 住JR由布院駅構内 ⏰9～18時 休無休 Pなし MAP P118B2

徒歩15分

2

湯布院南

ゆふいんすてんどぐらすびじゅつかん

由布院ステンドグラス美術館

幻想的な光に包まれた空間へ

19～20世紀にかけてのステンドグラスを展示する美術館。ヨーロッパの貴重なアンティークステンドグラスを展示したニールズハウスと、ステンドグラスを内部に取り入れた聖ロバート教会からなる。隣接する工房では体験も(☞P23)。

☎0977-84-5575 住由布市湯布院町川上2461-3 ¥入館1000円 ⏰9～17時(入館は～16時30分) 休無休 交JR由布院駅から徒歩15分 P30台 MAP P118C3

▶自然光の射し込み方によって表情を変える教会内
▲建物は英国製レンガを使用
◀アール・ヌーヴォーを代表する工芸家エミール・ガレ作のランプも

当日、美術館に入館した人限定。ステンドグラス体験

由布院ステンドグラス美術館に隣接する工房では、ミラーやフォトフレーム作りが体験できます。所要約1時間30分～、料金は1500円～（要予約、体験最終受付15時）。
☎0977-84-5575 MAP P118C3

▲クラシックな調度品が置かれた店内では、静かなひとときが過ごせる

3 茶房 天井棧敷

金鱗湖周辺
さぼう てんじょうさじき

ゆっくりと流れる時間を堪能

亀の井別荘（☞P45）の敷地内にある喫茶室。荘厳なグレゴリオ聖歌が流れる重厚な室内では、まるで時計の針もゆっくりと進んでいるよう。夜はBar山猫（☞P35）として営業している。

☎0977-85-2866 住由布市湯布院町川上2633-1 ⏰9～17時（バーは17～24時） 休不定休（年2回） 交JR由布院駅から車で7分 P30台 MAP P119D3

◀デンマーク産クリームチーズを使用した定番スイーツ、モン・ユフ550円

徒歩10分

4 ギャラリー SORA

湯の坪街道
ぎゃらりーそら

こだわりの大分みやげ探しに！

湯布院の陶芸家が始めたセレクトショップ。ギャラリー内には100人以上の作家のユニークな作品が並ぶ。こだわりの作品を探しに行きたい。

☎0977-51-4124 住由布市湯布院町川上1535-2 ⏰10～17時 休無休 交JR由布院駅から徒歩12分 Pなし MAP P119D2

▲看板の文字は仁美さんが手がけたもの

徒歩6分

5 COMICO ART MUSEUM YUFUIN

湯の坪街道周辺
こみこ あーと みゅーじあむ ゆふいん

町並みに溶け込む現代アート

由布岳を望む地に立つ美術館。村上隆や杉本博司、奈良美智などの作品を展示。建物もアートそのもの。入館は、オンライン予約で割引あり。

☎非公開 住由布市湯布院町川上2995-1 ¥入館1700円（各種割引あり） ⏰9時30分～17時 休水曜 交JR由布院駅から徒歩15分 Pなし MAP P118C2

▲2階のラウンジからは由布岳を背景に奈良美智の作品など野外展示が
©Yoshitomo Nara 2017

▲建物の設計は隈研吾が手がけた
©NHN JAPAN Corp.

▶丁寧に形成して焼かれる肥後博己氏の作品。ふくろう

徒歩15分

湯布院の中心部は平地が多いので自転車での散策もおすすめ。レンタサイクル（☞P17）も人気です。

緑と静寂に包まれた鳥越で 大人のハイセンスさんぽ

木々に囲まれ木洩れ日あふれる自然と溶け込むようなスタイリッシュな空間が広がる鳥越。そよそよと葉を揺らす風の音に耳を傾けながら、趣ある大人時間を楽しみましょう。

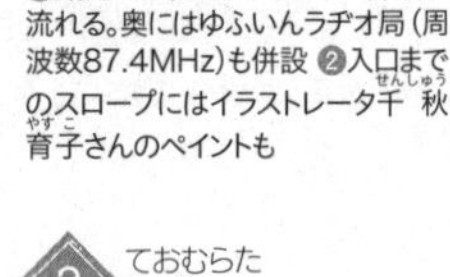

❶館内では絶えずクラシック音楽が流れる。奥にはゆふいんラヂオ局（周波数87.4MHz）も併設 ❷入口までのスロープにはイラストレータ千秋育子さんのペイントも

1 artegio（あるてじお）

心地よい音楽に癒やされる美空間

楽器のオブジェや作曲家ジョン・ケージの絵画など、音楽をテーマにした作品を展示。奥には、ソファ席と音楽関連書籍が並んだ本棚が置かれ、自由に閲覧できる。

☎0977-28-8686 住由布市湯布院町川上1272-175 ¥入館600円 ⏰10時～16時30分 休水曜 交JR由布院駅から車で11分 P20台 MAP P119F1

▶チョコガナッシュをサンドしたマカロン7個入り1350円

2 théomurata（ておむらた）

芳醇なチョコレートを堪能

artegioに併設するチョコレートショップ。茶葉ショコラやマカロンなど、約20種類の大人好みなチョコレートスイーツが並ぶ。

☎0977-28-8686 住由布市湯布院町川上1272-175 ⏰10時～16時30分 休水曜 交JR由布院駅から車で11分 P20台 MAP P119F1

丁寧に陳列された商品が並ぶ店内▶

ここでランチ

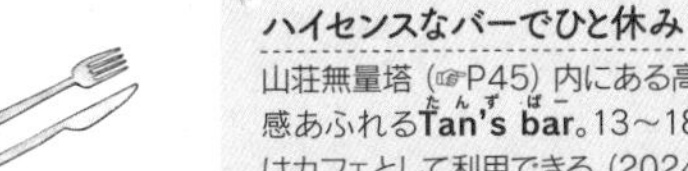

ハイセンスなバーでひと休み

山荘無量塔（☞P45）内にある高級感あふれるTan's bar。13～18時はカフェとして利用できる（2024年6月現在は終日宿泊者のみ利用可）。
☎0977-84-5000 MAP P119F1

◀ゴロゴロ野菜が入った季節の野菜カレーうどん1897円
▼鳥越エリアの雰囲気に溶け込む和風のたたずまい

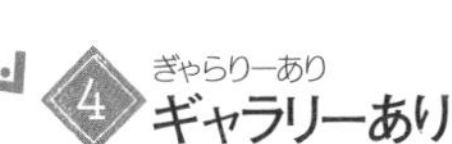

徒歩1分

4 ギャラリーあり（ぎゃらりーあり）

生活を彩るアートな雑貨を展示

主に九州在住の作家の作品を展示・販売。動物のオブジェやアクセサリー、衣服など、おしゃれなアート作品を数多く取り揃えている。作家の個展も月替わりで開催。

☎0977-84-4479 住由布市湯布院町川上1269-8 ⏰10～17時 休不定休 交JR由布院駅から車で8分 P2台 MAP P119F1

3 山椒カレーうどん 菊すけ（さんしょうかれーうどん きくすけ）

クセになるうまさの名物うどん

カツオが利いた和風だしに、もっちり自家製麺が入るカレーうどんが人気。カレーはピリ辛の山椒がクセになる赤と、カシューナッツでまろやかな白の2種類。山椒カレーうどん1485円。チーズや餅などトッピングも用意。

☎0977-85-5262 住由布市湯布院町川上1269-36 ⏰11～15時LO 休水曜（火曜休みの場合あり）交JR由布院駅から車で7分 P6台 MAP P119E1

▲ギャラリーの入口では看板猫がお出迎え

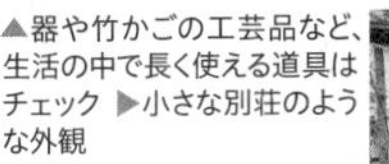

▲器や竹かごの工芸品など、生活の中で長く使える道具はチェック ▶小さな別荘のような外観

徒歩5分

徒歩1分

5 匠舗蔵拙（しょうほぞうせつ）

独創的な美意識が光る厳選アイテム

山荘無量塔（さんそうむらた）（☞P45）内のセレクトショップ。オリジナルの食料品からクラフト作品まで、眺めるだけで楽しいハイセンスな商品が揃う。

☎0977-28-4500 住由布市湯布院町川上1264-2 ⏰9～18時 休年2回不定休 交JR由布院駅から車で10分 P20台 MAP P119F1

▲粒マスタードはプレーン（左）、バジル（右）のほか、しいたけマスタードがある。各1188円 ▼和モダンな雰囲気が漂う

料理人の技が光る 憧れ宿の人気ランチ

湯布院に点在する宿のなかには、ランチや日帰りプランで気軽に利用できるところも。おいしさと同時に、宿のホスピタリティも味わおう。

湯の岳庵。庭を望む席のほか、個室もある

ステーキ膳
3960円
（ランチ限定）
厳選された黒毛和牛のサーロインを使用したメニュー。鉄板の上で特製ソースをかけて味わおう。

金鱗湖周辺

ゆのたけあん
湯の岳庵

✳憧れ宿はこちら!
亀の井別荘(☞P45)

季節感を大切に、地元食材で献立

野菜、川魚、肉など料理長自らが農家などをまわって求めた素材を、心ゆくまで楽しめる地元料理の店。ランチで人気の「ステーキ膳」は15時まで注文OKなので、遅い昼食にも利用できる。炭火で焼き上げるウナギを使った鰻重4000円～もおすすめ。

☎0977-84-2970 住由布市湯布院町川上2633-1 ⏲11～21時LO 休不定休（年2回）交JR由布院駅から車で7分 P30台 MAP P119D3

選りすぐりのウナギを炭火で香ばしく焼いたウナギ料理は名物の一つ

建物は瓦と茅葺きの日本家屋。向かいにはみやげを販売する鍵屋(☞P36、41)や茶房 天井棧敷(☞P23)なども

金鱗湖周辺

れすとらんらんぷしゃ
レストラン洋灯舎

✳憧れ宿はこちら!
ペンション金鱗湖 豊の国

肉汁あふれるハンバーグが人気

金鱗湖畔に立ち、湖を眺めながら食事が楽しめる。イチオシは30年以上一番人気のおおいた和牛のハンバーグステーキ。香りたつデミグラスソースは、仔牛の骨と数種の野菜を数日間煮込んで完成させた逸品。

☎0977-84-3011 住由布市湯布院町川上1561 ⏲7時30分～8時30分LO、11時～13時50分LO、夜は18時～18時30分～の2部制 ※朝と夜は前日までに要予約 休月曜夜、火曜（祝日の場合は営業）交JR由布院駅から徒歩21分 P10台 MAP P119D3

おおいた和牛の
ハンバーグステーキセット
1980円
ソースはデミグラス、ジャポネ、トマトソースの3種類から選択できる。手作りスープ、ライス付き。

開けた窓からは金鱗湖が望める

塚原高原

しゃぽー

chapeau

✳憧れ宿はこちら!
forest inn BORN
(☞P53)

静かな森で味わう優雅なフレンチ

湯布院中心地から少し離れた塚原高原にある1日6組限定の宿。静けさに包まれた洗練空間で、フランスで修業したシェフによるフレンチが楽しめる。金～日曜限定の限定ランチはひと皿ごとに感動！

☎0977-84-2975 住由布市湯布院町塚原1203-6 ⏰12～14時(13時LO) 休月～木曜(要問合せ) 交JR由布院駅から車で15分 P7台 MAP P117D1

鳥の声しか聞こえない非日常空間が広がる

This weeks Lunch
4042円
地元をはじめ、旬の九州産食材にこだわった料理が並ぶ。＋924円～でデザートも。

花やぐら膳
4000円
特選おおいた和牛のほか全9品に、梅酒がついた贅沢な囲炉裏会席を楽しめる。

由布岳を望める立地にある宿

✳憧れ宿はこちら!
御宿 八遇來(☞P51)

鳥越

おんじゅく やぐら

御宿 八遇來

由布岳のそばで楽しむ炭火焼料理

特選おおいた和牛、大分県産ハーブ鶏、八遇來豆腐や鮎の塩焼きなど食材にこだわる。昼食のみの利用のほか、昼食と温泉のセットや露天風呂客室に昼食付きのプランも用意。(空室時のみ予約可)

☎0977-85-5110 住由布市湯布院町川上1270-81 ⏰11時30分～14時(昼食のみの利用は前日までに要予約) 休無休 交JR由布院駅から車で5分 P10台 MAP P119F1

宿泊施設のランチ営業は臨時休業となることもあるので、事前に予約や問合せのうえ利用することがおすすめです。

心とからだにしみじみ染みる 湯布院素材のスローランチ

賑やかな通りから少し足を延ばせば田畑が広がる湯布院は、おいしい素材の宝庫。ゆふいん野菜(☞P30)をはじめとした、新鮮な地元の味をランチで召し上がれ!

Aランチ
3190円
新鮮な刺身のほか、季節野菜とエビの天ぷらも味わえるランチメニュー。季節の前菜や茶碗蒸しなども付く。

由布院駅周辺

わしょくもみじ

和食もみじ

仕込みの丁寧さが際立つ正統派和食

亀の井別荘(☞P45)や割烹などで修業した大谷久夫(おおたにひさお)さんが作る、海山の幸を盛り込んだ"シンプルで身体にやさしい"料理が人気。ランチには和の膳1650円～や黒毛和牛ステーキ、創業以来継ぎ足しのタレで焼いたウナギもおすすめ。

☎0977-84-2070 住由布市湯布院町川上2921-3 ⏰11時30分～14時LO 休日曜(月曜が祝日の場合は営業、翌日休) 交JR由布院駅から徒歩3分 Pなし MAP P118B2

1料理と同様、折り目正しく清潔にしつらえられた店内。テーブル席のほか、畳敷きでくつろげる個室(8名用)も 2JR由布院駅に近くアクセスも良好

豊後牛まぶし
2950円
炙った豊後牛がたっぷり!漬物と赤だし付き。シメはカツオだしで茶漬け風に。

由布院駅周辺

ゆふまぶししん

由布まぶし心

香りのよさが特徴の"ゆふ米"をおいしく提供

山荘無量塔(☞P45)などで経験を積んだ森政博(もりまさひろし)さんが作る独創性豊かな料理を満喫できる。「豊後牛まぶし」はご飯と豊後牛が相性抜群!ゆふ米を堪能してもらいたいと、注文が入ってから炊き上げる。

☎0977-84-5825 住由布市湯布院町川北5-3 2階 ⏰10時30分～19時30分LO※品切れ次第終了 休木曜(祝日の場合は営業) 交JR由布院駅からすぐ Pなし MAP P118B2

1地鶏・豊のしゃもや豊後牛を使った一品料理も充実。晩ご飯処としても覚えておきたい 2JR由布院駅から徒歩すぐの場所に位置する

部屋食できる華やかな料理のデリバリー

仕出し屋WASABIでは、宿に仕出し料理を配達し、部屋食を可能にするサービスを開始。手毬寿司や大分和牛のローストビーフなど色鮮やかな料理を楽しめます。予約はホームページを確認。☎0977-85-8842(10～20時)

ランチコース
4620円
メインは肉か魚を選べる。ランチコースはほかに6930円、9240円のコースがある。

由布院駅周辺

らゔぇるゔぇんぬ

La Verveine

じっくりと味わいたい地元食材の本格フレンチ

湯布院産の食材をベースに、フランス産の厳選食材を加えた本格フレンチに定評がある。季節を映し出したランチコースは彩りも美しく、お腹も満たしてくれる満足度の高い内容だ。夜は9240円と1万1550円の2種のコースを用意。

☎0977-85-7829 住由布市湯布院町川上3064-3 ⏰12時～13時30分LO、18時～19時30分LO 休不定休 交JR由布院駅から徒歩5分 Pなし MAP P118B2

1 淡いグリーンがアクセントになっているおしゃれな店内 2 メインの通りから少し奥まった場所にある一軒家のお店

プロシュート・クルード
(夏期限定)2420円
湯布院産ルッコラやベビーリーフ、バジルを使用。※仕入れにより販売がない場合あり。

湯布院IC周辺

くぬぎのおか

椚の丘

澄んだ空気も景色もごちそう!

由布院盆地が一望できる小高い丘の上の森の中にある人気のピッツェリア。クヌギの木でサクッと焼き上げる石窯ピザや、手打ちパスタ各1430円～には地元の農園で育てられた有機野菜やミネラル豊富な地下水を使用している。

☎0977-85-4007 住由布市湯布院町川北893-1 ⏰11時～14時30分LO、17時30分～20時LO 休水曜(祝日の場合は営業) 交JR由布院駅から車で7分 P70台 MAP P116A3

1 天気のいい日にはテラス席がおすすめ。美しい由布岳が望める 2 湯布院ICからさらに山の方へ上がった森の中にある

ここで紹介の4店はともに人気レストランなので、前日までに予約するのがいいでしょう。

この土地でしか味わえない ゆふいん野菜がおいしい理由

寒暖の差が大きい盆地で育つため、味が濃厚なゆふいん野菜。ゆふいん野菜生産の最前線で活躍する、江藤農園の江藤夫妻にお話を聞きました。

「"旬"を届けたい」。料理人との切磋琢磨から生まれた、ゆふいん野菜

江藤農園2代目 江藤雄三（えとうゆうぞう）さん

4haの畑で米と野菜を栽培し、現在20軒以上の旅館に野菜を卸している

「料理人からのリクエストに応えて試行錯誤するのが楽しい」と語る江藤さん。野菜を生産しても地元で消費しきれずなかなか農業が盛んにならなかった湯布院で平成7年(1995)、当時草庵秋桜(☞P48)総料理長だった新江憲一（しんえけんいち）さんの「湯布院でとれた野菜を使って料理し、お客をもてなしたい」という申し出がきっかけとなり、江藤さんは毎朝とれた野菜を旅館に卸し始めた。徐々に賛同してくれる旅館も増え、"農家と料理人が意見を交換しながら"の野菜作りが始まった。季節感を一番大事にしたいという両者の想いが一致した、湯布院全体で食の向上に取り組む「ゆふいん料理研究会」も発足。生産者から料理人、人から人へとつながる想いこそがゆふいん野菜のおいしさの秘訣なのだ。

1トマトの収穫は主に日の出前か日没直前。日中だとうま味を含んだ養分が外に出てしまうとか 2真っ赤に熟してからしか収穫しないというこだわり

ゆふいん野菜の春夏秋冬

春	クレソン・ロロロッサ・ロログリーン
夏	地ぎゅうり・ナス・トマト・万願寺とうがらし
秋	ホウレンソウ・水菜
冬	カブ・大根・人参・白菜・キャベツ

江藤農園

食の安全を確保するため、低農薬有機栽培で旬の野菜だけを、年間100種類以上育てている。ほかにも、こんにゃくや米を生産し、旅館やレストランに直接販売している。

☎090-1925-8961 住由布市湯布院町川西1029 時要問合せ 休日曜 交JR由布院駅から車で15分 P1台 MAP P116A4

買う人の目を引くアイデア満載の直売所
身体にやさしいゆふいん野菜を手に入れる

国子さんお手製のイラスト付きポップ

雄三さんの妻
江藤国子（えとうくにこ）さん

農政局で働いていたことがきっかけで雄三さんと出会い、江藤農園に嫁ぐ

「ちょっとした工夫をするだけでお客さんが手にとってくれるんです」と笑顔で語る国子さん。江藤農園が中心となって卸すイオン湯布院店内にある「ゆふいんマルシェ」には、フルーツトマトを縦詰めや箱詰めにしてかわいらしく陳列したり、食べ方のワンポイントを書いて売り場に添えたりと、ゆふいん野菜の価値を高めようとする工夫が随所に光る。安売り競争に陥りがちな直売所販売だからこそ、きちんと湯布院の野菜の相場を維持し、おいしい野菜を次の年もその次の年も作り続けていけるような仕組み作りを心掛けているという。次々と生まれる国子さんのアイデアに今後も注目したい。

\こんなゆふいん野菜が買えます!/

- バジル 1袋100円
- トマト 1袋250円
- モロッコいんげん 1袋150円
- 黄トマト 1個100円
- 万願寺とうがらし 1袋250円
- ナス 1袋150円
- 地ぎゅうり 1本100円

※野菜の価格は季節、収穫量によって変わります。

由布院駅周辺
いおんゆふいんてん
イオン湯布院店

☎0977-76-5030 住由布市湯布院町川上2924-1 ⏰9～22時 休無休 交JR由布院駅から徒歩5分 P60台 MAP P118B2

ここもCHECK

草庵秋桜 四季工房

江藤農園の野菜をはじめ、大分産の旬の野菜を使ったピクルスは草庵秋桜（☞P48）のオリジナル商品。宿の店頭やピクルス専門店草庵秋桜 四季工房で購入できる。

☎0977-75-9122 住由布市湯布院町川上3037 ⏰10～17時 休無休（天候により臨時休業あり）交JR由布院駅から徒歩8分 Pなし MAP P118C2

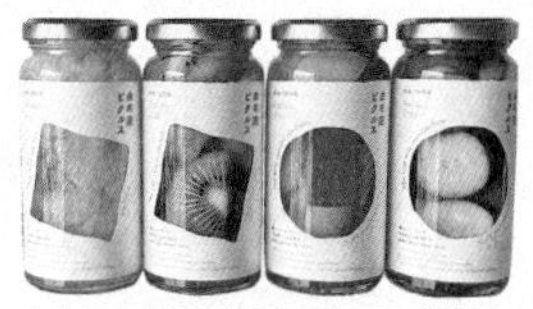
左からアマナツ、キウイフルーツ、パプリカ、キュウリのピクルス1瓶150g756円～

素敵な空間でゆったりと過ごす 心ほどけるくつろぎカフェ

ゆるやかに流れる湯布院時間を、思う存分堪能するカフェタイムはいかが?
四季折々に趣を変える、窓の外の豊かな自然を眺めているだけでも癒やされます。

ここがこだわり

森林浴をしているような気分になる庭は、専用の庭師が日々手入れをしている

1 アップルパイのコーヒーセット1280円 2 しっとりと焼き上げたパウンドケーキ680円 3 緑を渡る風が感じられるテラス席もおすすめ

湯の坪街道周辺

てぃーるーむにこる

ティールームニコル

心が和むさりげないおもてなし

由布院 玉の湯（☞P44）内にあるティールーム。ガラス越しに広がる木立は、自然のままに見えつつも実はしっかり手入れされたもの。テーブル上の小さな花も宿の花師によるなど、さりげなく、細やかな配慮が随所に感じられる。

☎0977-85-2160 住由布市湯布院町川上2731-1 営要問合せ 休無休 交JR由布院駅から徒歩12分 P30台 MAP P118C2

※2024年6月現在、宿泊者のみ利用可能

ハチミツの甘い香りが漂うカフェで人気のスイーツを

B.Bee's (☞P41) が手がけるカフェ café HIVE。ゆふいん牧場の牛乳から作るハチミツ入りソフトクリームが人気。モンブラン・ソフトクリーム600円(左)やフリー蜂蜜トッピングソフト520円(右)など。
☎0977-85-7002 MAP P119D2

湯の坪街道

くくち
鞠智

地産地消のスイーツで心までほっこり

湯の坪街道沿いに立ち、地産地消と手作りにこだわる古民家風のカフェ。名物のどら焼きを、定番から季節限定の味まで落ち着いた店内でゆっくりと味わえる。大分産の卵や自家製餡を使った焼きたてのどら焼きは、皮はふわふわ&餡はとろけるような食感で美味！

☎0977-85-4555 住由布市湯布院町川上3001-1 ⏰10～17時（土・日曜、祝日は～17時30分）休不定休 交JR由布院駅から徒歩9分 Pなし MAP P118C2

1由布岳を望むテラス席 2モンブランどら焼き1290円（季節により内容異なる）3湯の坪街道沿いにある

ここがこだわり
由布岳を一望する広々とした敷地に立つ。飛騨の古民家を移設した店内も魅力

ここがこだわり
店内に並ぶ絵画や陶器などは、店主の辻さんのセレクト。個展やグループ展も不定期で開催

金鱗湖周辺

ざっかあんどきっさ なや
雑貨&喫茶 naYa

懐かしさを感じさせる森のカフェ

金鱗湖から少し歩いた静かなエリアにたたずむ。木をふんだんに使った落ち着いた雰囲気の店内では、オリジナルブレンドのコーヒーや自家製ジンジャーシロップ炭酸割り各350円が味わえる。また、大分県を中心に九州のクラフト作家による陶磁器や革製品なども販売。

☎0977-75-9760 住由布市湯布院町川上1774-2 ⏰10～17時 休不定休 交JR由布院駅から徒歩20分 P2台 MAP P119D3

1木のぬくもりを感じる店内 2絵本に出てきそうなノスタルジックな内観 3タルト525円。チーズケーキタルトなど、内容は日替わり

ゆったり過ごせるミュージアムartegio（☞P24）にもティールームthé théo（MAP P119F1）が併設されています。

湯布院の夜をおしゃれに過ごせる雰囲気重視の大人のBAR

せっかくの湯布院の旅。夜遅くまで、上質さや優雅さを存分に楽しみたいもの。
各店の魅力を、オーダーしたいおつまみと、それに合うお酒とともに紹介します。

湯布院IC周辺

ばー ばろーろ

Bar Barolo

静寂もまた粋なラグジュアリー空間

おやど二本の葦束（☞P48）の敷地内にある一軒家バー。重厚なイギリス製アンティーク家具が置かれた店内は、和洋折衷のデザイン。ライトアップされた幻想的な庭が望めるカウンター席や秘密基地のような2階席など、多彩なくつろぎ空間が用意されている。地下にある大型のウォークインワインセラーには約800本のイタリアワインが並び、グラス950円〜を楽しめるほか、カクテルも充実している。

☎0977-85-3666 住由布市湯布院町川北918-18 ¥チャージなし ⏰15〜24時 休不定休 交JR由布院駅から車で7分 P15台 MAP P116A3

15時開店、エスプレッソ600円なども揃うので、喫茶としても利用できる

これオーダーしましょ

店名ともなっている赤ワイン、バローロ1杯1800円とドライフルーツ924円。凝縮したフルーツの甘みがワインと相性抜群！

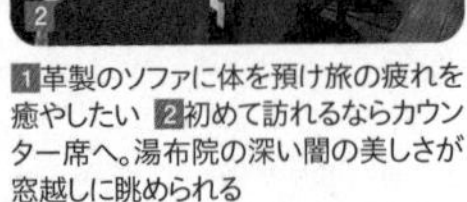

1 革製のソファに体を預け旅の疲れを癒やしたい 2 初めて訪れるならカウンター席へ。湯布院の深い闇の美しさが窓越しに眺められる

これオーダーしましょ

「カクテルの女王」ともいわれるマンハッタン1540円（左）と、ウイスキー1100円〜（右）。食前酒にいかが？

堂々たる一枚板のカウンター。木工デザイナーである時松辰夫氏の手による

湯の坪街道周辺

にこるずばー

ニコルズバー

本格的なカクテルメニューも豊富

由布院 玉の湯（☞P44）内にあるバー。自然を愛する作家、C・W・ニコル氏のリクエストにより平成7年（1995）に作られた。落ち着いた雰囲気のなか、スタンダードカクテルをはじめ、季節のカクテル、ノンアルコールカクテル、ウイスキーなどが楽しめる。宿泊客は浴衣姿でも利用できる。

☎0977-85-2160(由布院 玉の湯) 住由布市湯布院町川上2731-1 ¥チャージなし ⏰17時30分〜22時LO 休不定休 交JR由布院駅から徒歩12分 P30台 MAP P118C2

いろいろな種類のワインを気軽に楽しめる

ワイン好きの店主が営むWINEBAR Grange。グラスワイン770円～を赤白合わせて常時15種類以上用意している。つまみにぴったりなフードメニューも充実。

☎090-9253-1417 MAP P118B2

1落ち着いた雰囲気が漂い、モルトウイスキーの品揃えも充実 2ビルの2階にあるため、知らなければ通り過ぎてしまいそう。まさに隠れ家！

由布院駅周辺

ばー すてあ

Bar Stir

湯布院に似合うオーセンティックバー

帝国ホテルや由布院 玉の湯（☞P44）で経験を積んだバーテンダー・岩本賢二さんが開いた正統派のバー。長さ7mのカウンターが印象的な上質な空間では、好みに応じたカクテルをはじめとした300種類以上のお酒1100円～をじっくりと楽しみたい。

これオーダーしましょ

ベースをリンゴのブランデーに変えた、フルーティな飲み口のカクテル。アップルカー1600円と自家製チョコレート1600円

☎0977-85-3935 住由布市湯布院町川上3056-16協栄ビル2階 ¥チャージなし 🕒19～24時 休水曜 交JR由布院駅から徒歩4分 Pなし MAP P118B2

金鱗湖周辺

ばーやまねこ

Bar山猫

郷愁を感じる、やわらかな灯りの中で

亀の井別荘（☞P45）の喫茶室・茶房 天井桟敷（☞P23）、夜はBar山猫として営業。元は江戸末期の造り酒屋という建物の風格や歴史を、橙色の間接照明がやさしく映し出し、素朴な和み空間へと変貌させている。店内に流れるオールドジャズに耳を傾けながら、更けゆく夜を楽しみたい。

☎0977-85-2866 住由布市湯布院町川上2633-1 ¥チャージ1名800円 🕒17～24時 休不定休（年2回）交JR由布院駅から車で7分 P30台 MAP P119D3

ここがステキ！

17時を過ぎると、クラシカルな喫茶店が趣を変えてBarに。庭を間近に眺められる窓際の席は特等席。極上の夜が過ごせそうだ

1丸みを帯びたカウンターは肌あたりもやさしい。BGMや店内を飾るジャズのレコードは宿主のコレクション 2オススメは季節のカクテル

5月下旬～6月上旬の20時前後、蛍見橋付近（MAP P119D2）ではホタルが見られることも。一杯楽しんだ後に訪ねてみては？

自然のやさしさを形にしました 湯布院のステキなクラフト雑貨

緑豊かで自然素材の豊富な湯布院にはクラフト職人の工房やアトリエが点在。旅が終わっても毎日の生活に寄り添ってくれるような雑貨をご紹介します。

YABハートキャンドル 1個1650円
カラフルなハート形がかわいいキャンドルオーナメント。Ⓐ

haccimockステッカー 1枚550円
haccimockバッチ 1個440円
誰もがハマってしまうhaccimockのイラスト。Ⓐ

鍵屋オリジナル手ぬぐい 1100円～
亀や鍵、ゆずのほか、クローバーのオリジナル柄も。店内には20種類以上の柄が並ぶ。Ⓒ

別府クラフトの竹かご1万7600円
伝統的な技法を踏襲しつつ現代感覚を取り入れる作家集団「別府クラフト」の作品。Ⓑ

布製のオリジナル箸袋 各1320円
ひとつひとつ手作り。和風で落ち着いた風合いのものからポップでかわいらしい柄まで揃う。Ⓓ

一龍陶苑の煎茶碗990円、プレート935円～
長崎県の波佐見(はさみ)焼のもの。「しのぎ」という技法が生むラインがアクセントになっている。Ⓑ

湯の坪街道

おむ ぶるー かふぇ

HOMME BLUE CAFE Ⓐ

地元出身クラフト作家の陶器やアクセサリーなどを販売する雑貨店。個性的なアイテムが見つかるかも。

☎0977-84-5878 住由布市湯布院町川上1535-2 ⏰10時30分～17時30分 休不定休 交JR由布院駅から徒歩12分 Pなし MAP P119D2

湯の坪街道周辺

ゆふいんいち

由布院市 Ⓑ

由布院 玉の湯(☞P44)内のみやげ店。自家製の食品を中心に大分県の工芸品や陶器などの取り扱いも充実。

☎0977-85-2056 住由布市湯布院町川上2731-1 ⏰10～18時 休無休 交JR由布院駅から徒歩12分 P30台 MAP P118C2

金鱗湖周辺

かぎや

鍵屋 Ⓒ

亀の井別荘 (☞P45) に併設。季節ごとの素材を生かした食品や雑貨ともにオリジナル商品の品揃えが豊富。

☎0977-85-3301 住由布市湯布院町川上2633-1 ⏰9～19時 休不定休 交JR由布院駅から車で 7分 P30台 MAP P119D3

旅の記念に 世界でひとつだけの マイお箸作り体験

箸屋一膳(はしやいちぜん)では、直径1cmほどの桜の木の角材を小刀で削り出すお箸作り体験ができる。所要約2時間。防水コーティングしてもらった後、約2週間で自宅に届く。2750円(予約可・送料別)。
☎0977-84-4108 MAP P118C4

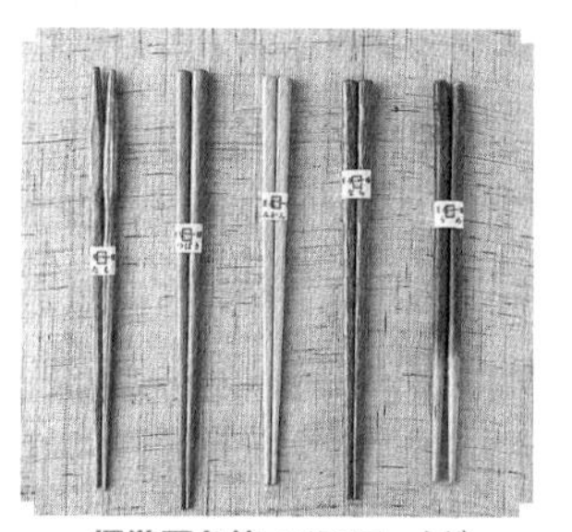

標準四角箸 1540円～など
木の種類や形、太さもさまざま。とことんこだわりたい人にはオーダーメイド箸5500円～も。Ⓓ

鍵屋オリジナルトートバッグ 2480円など
旗屋のハギレで作る綿100%のオリジナルバッグはすべて一点もの。トートバッグはリバーシブル仕様。Ⓒ

ハコリエアパートメント 各1320円
ひとつひとつ異なるデザインで、思わず集めたくなるオリジナルのお家。Ⓐ

由布院みすと 80g 1320円
由布院温泉の源泉100%。天然保湿成分メタケイ酸をたっぷり含むので、お肌がしっとり潤う。Ⓕ

コーヒースタンド 1万8150円
塚原高原にある「木屋かみの」のコーヒースタンド。Ⓔ
※コーヒーブリューワー、コーヒーサーバーは別売り

オリジナルポストカード 1枚165円～
イラストレーターの福田利之さんが、併設のカフェをイメージして描いたポストカード。Ⓔ

湯布院南

箸屋一膳(はしやいちぜん) Ⓓ

地元産の木を中心に使い、木目や質感にこだわって丁寧に仕上げた箸が並ぶ。とっておきの一膳を探しに行こう。

☎0977-84-4108 住由布市湯布院町川上2093-2 ⏰9～17時 休無休 交JR由布院駅から徒歩20分 P3台 MAP P118C4

金鱗湖周辺

カフェ ラ リューシュ(かふぇ ら りゅーしゅ) ギャラリー&ショップ(ぎゃらりーあんどしょっぷ) Ⓔ

ギャラリーでは話題のアート展を不定期で開催。ショップでは、地元作家の作品など、全国のクラフトを販売。

☎0977-28-8500 住由布市湯布院町川上1592-1 カフェ ラ リューシュ2階 ⏰10～16時 休水曜(臨時休業の場合あり) 交JR由布院駅から徒歩20分 P7台 MAP P119D3

由布院駅周辺

一休商店(いっきゅうしょうてん) Ⓕ

JR由布院駅の目の前、書店も併設するみやげ店。由布院温泉のオリジナルブランドYUFUIN PLUSも取り扱う。

☎0977-85-2801 住由布市湯布院町川北4-1 ⏰8時30分～17時30分 休無休 交JR由布院駅からすぐ Pなし MAP P118B2

お店に並ぶクラフト雑貨は、作家さん手作りの一点ものも多い。「欲しい!」と思ったときが買いどきです。

お持ち帰りみやげの定番です 名物ロールケーキ&パン

自然豊かな湯布院ならではの素材を生かした味わい深い逸品が勢揃い。一度は食べたい、売り切れ必至のロールケーキとパンをご紹介します。

生クリームは上品な甘さ。Pロール(プレーン)1本1620円ほか、チョコレート味もある

こちらも おすすめ!

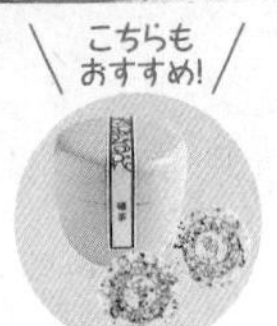

茶葉ショコラ(碾茶) 8枚入り1620円

湯の坪街道

びーすぴーく

B-speak

ほんのり甘い大人味の ふわふわロールケーキ

山荘無量塔(☞P45)がプロデュースする、湯布院では有名なロールケーキ専門店。小麦粉、砂糖、卵、生クリームのみで焼き上げたシンプルなロールケーキは、平成11年(1999)のオープン以来、不動の人気を誇っている。予約もOKで、電話か店頭にて受付。

☎0977-28-2166 住由布市湯布院町川上3040-2 ⏰10〜17時 休不定休 交JR由布院駅から徒歩7分 P6台 MAP P118 C2

ふわふわの生地と新鮮なクリームの相性抜群。一巻きロールケーキ1本2160円

こちらも おすすめ!

湯布院カステラ 1個1620円

湯の坪街道

ごえもん

GOEMON

数々のヒットスイーツを 生み出す人気店

湯布院に5店舗を展開する菓子工房。厳選素材で作る定番から、湯布院カステラなどの話題のスイーツまで、幅広くラインナップ。大分県産卵を使ったスポンジで、たっぷりの生クリームをひと巻きしたロールケーキは食べごたえ満点!

☎0977-85-3763 住由布市湯布院町川上1527-1 ⏰10〜17時 休無休 交JR由布院駅から徒歩12分 Pなし MAP P119D2

厳選素材から生まれる、湯布院たまごロール1本1458円。1/4カット378円(テイクアウト)もある

こちらも おすすめ!

由布高原なめらか プリン1個378円

由布院駅周辺

ゆふいん ゆふふ

湯布院 ゆふふ

素材の新鮮さを生かした みずみずしい逸品

ロールケーキ生地は、毎朝仕入れる大分県産の産みたて卵をふんだんに使っていてしっとりふわふわ。すっきりとした味わいの生クリームとの相性も抜群。ほかにも生ケーキは常時30種類以上、みやげに最適な焼き菓子なども揃い、店内にはイートイン席も。

☎0977-85-5839 住由布市湯布院町川北2-1 ⏰10〜17時 休無休 交JR由布院駅から徒歩1分 P4台 MAP P118B2

国産小麦&天然酵母を使用したパンが並ぶ行列のできる店

湯の坪街道（☞P20）近くの**パン工房まきのや**は、厳選した素材を使用する自然派の店。小国産ジャージー牛乳を使った素朴な味わいのミルクぱん1個400円（写真奥）が人気です。
☎0977-84-3822 MAP P118C2

ベーグルは常時10種ほど。プレーン210円、全粒粉230円、チョコ260円など。ギフトやおみやげに

こちらもおすすめ!

食パン1斤330円

由布院駅周辺

こちょぱん

こちょぱん

温泉地ならではの製法で作るおんせんベーグル

国産小麦、国産大豆などの厳選した材料を使用したパンやサンドイッチが魅力の店。なかでも話題は、焼き上げる直前にゆふいんの温泉水に浸からせたおんせんベーグル。モチモチつるつるの食感が魅力だ。冷凍発送もしているので自宅用みやげにもおすすめ。

☎0977-84-5874 住由布市湯布院町川上3725-13 ⏰9～17時 休日・月曜 交JR由布院駅から徒歩3分 P共同駐車場 MAP P118B2

クロワッサン400円など豊富な種類のパンが楽しめる（写真はイメージ）

こちらもおすすめ!

あんバタートースト500円とコーヒー600円

金鱗湖周辺

かふぇ ら りゅーしゅ

カフェ ラ リューシュ

金鱗湖ほとりのベーカリーカフェ

焼きたてのパンとドリンクが楽しめるカフェ。焼きたてパンは、店内はもちろんテイクアウトも可能。明太フランスやクロワッサンなど、おかず系からスイーツ系まで幅広く揃う。カフェではハンバーガーをはじめ、パンを使ったメニューが楽しめる。

☎0977-28-8500 住由布市湯布院町川上1592−1 ⏰9～16時LO(日曜、祝日は～16時30分LO) 休水曜（臨時休業の場合あり）交JR由布院駅から徒歩20分 P7台 MAP P119D3

右上から時計回りにハーブフォカッチャ200円、フロマージュ280円、エスプレッソロール280円

こちらもおすすめ!

ふわふわハイジ各170円。「ななつ星in九州」でも採用

湯の坪街道周辺

ぐらんま あんど ぐらんぱ

Grand'ma & Grand'pa

緑豊かな場所に立つ地元の人に愛される店

陽気なご夫婦が営む湯布院ではおなじみの有名店。昼すぎには売り切れてしまうことも多い。パンはどれもほんのり甘くてふんわり。雑貨とカフェスペースもあり、焼きたてのピザトーストとご主人いち押しのハーブティーなどが楽しめるセット850円～も人気。

☎0977-85-5456 住由布市湯布院町川上2794-2 ⏰8～17時 休水・木曜 交JR由布院駅から徒歩13分 P5台 MAP P118C3

人気店はすぐに売り切れるので、午前中に行こう。B-speakは予約受付OK。問合せ、予約は☎0977-28-2166まで。

おいしいだけじゃありません 見た目も重視の女子みやげ

大切な人の顔を思い浮かべながらのおみやげ選びもまた旅のお楽しみ。
もらってうれしい、おいしくて見た目もかわいいおみやげが大集合です。

かぎやのおはぎ 1個 180円
小豆の風味豊かでほどよい甘さ。餡、きなこ、黒ごまの3種の味がある。TEL予約もOK。Ⓕ

コンフィチュール 1瓶 890円～
フレッシュな果実タイプとミルクタイプの人気コンフィチュール。常時15種前後揃い、季節限定商品も。Ⓒ

ジャズ羊羹 classic 1棹 2692円
ワイン漬けしたドライイチジクが入った黒糖ベースのようかん。職人により手作りされている。Ⓑ

はちみつ屋さんの生キャラメル 各799円
塚原高原の牧場のミルクと県内の源泉したハチミツを使用。プレーンやカフェオレ風味などがある。Ⓓ

ゆふいんサイダー 330mℓ 270円
果糖などの化学調味料は一切不使用、由布院の天然水仕込み。上品な甘さと酸味で後味スッキリ。Ⓐ

和牛とごぼうの佃煮（右）60g 1300円
国東ひじきの煮物（左）80g 700円
甘辛味でご飯がすすむ佃煮と煮物。御三家宿の味をおみやげに。Ⓔ

湯の坪街道

じざけのみせ はかりや
地酒の店 はかり屋 Ⓐ

湯の坪街道沿いにある明治中期創業の老舗酒店。ここにしか置いていない限定品の焼酎や日本酒も多く、味噌や醤油などのオリジナル食品も揃う。

☎0977-84-2067 住由布市湯布院町川上1080-1 ⓛ10～17時 休水曜、第3木曜 交JR由布院駅から徒歩11分 P3台 MAP P118C2

湯の坪街道

じゃずとようかん
ジャズとようかん Ⓑ

「旅と音楽」をテーマに、看板商品のようかんのほか、衣類や雑貨、音楽モチーフのアイテムを販売。

☎0977-84-3838 住由布市湯布院町川上3015-4 ⓛ10時～16時30分（変更の場合あり）休不定休 交JR由布院駅から徒歩9分 Pなし MAP P118C2

湯の坪街道

くくち
鞠智 Ⓒ

地産地消と手作りにこだわる店。オリジナルスイーツや柚子胡椒などを扱うショップのほか、カフェも併設。

☎0977-85-4555 住由布市湯布院町川上3001-1 ⓛ10～17時（土・日曜、祝日は～17時30分）休不定休 交JR由布院駅から徒歩10分 Pなし MAP P118C2

宮崎県産サツマイモと
厳選した小豆を使った
オリジナル菓子

昭和33年（1958）創業、昔ながらの製法を貫きながら、柔軟な発想で新感覚商品を生み出す**赤司菓子舗 由布院駅前**。独自製法で作られるしっとり餡ぽてと1個250円が人気。
☎0977-84-2575 MAP P118B2

紅はるかと紫芋のスイートポテト 2個 630円
蜜いっぱいの芋を使用。芋本来の自然な甘さで素朴な味わい。なめらかな舌ざわりも◎。C

山椒椎茸（右）80g 750円
伽羅蕗（左）70g 800円
シイタケの山椒煮と山蕗の佃煮。麺類の薬味やご飯のおかずにも重宝。F

ゆめひびき 500mℓ 4600円
木樽3年熟成の高級梅酒。ヨーロッパへも輸出されていた逸品。角瓶はドイツ製で風呂敷入り。A

玉の湯自家製 柚子ねり 大160g 1100円
由布院でとれたゆずを甘く炊き上げたお茶請け。由布院では昔から親しまれているおやつ。E

ゆふいんジンジャーシロップ 150mℓ 各778円
しょうが湯と各種フレーバーを加えたシロップ。桃（左）、プレーン（右）のほか、ゆず、りんご味がある。D

YAMAVICO TRIO 3個セット 972円
イチジク、ショコラ、つぶ餡の3つの味が堪能できる洋風のもなか。コーヒーや赤ワインにも合う。B

湯の坪街道
びーびーず
B.Bee's D

日本国内をはじめ、ニュージーランド産マヌカ・ハニーまで揃うハチミツ専門店。ハチミツを使った各種スイーツも人気だ。

☎0977-84-3100 住由布市湯布院町川上3001-5 ⏰10～17時 休無休 交JR由布院駅から徒歩10分 Pなし MAP P118C2

湯の坪街道周辺
ゆふいんいち
由布院市 E

由布院 玉の湯（☞P44）内のみやげ店。画家の安野光雅氏がデザインしたステキな包装紙で商品を包んでくれるので、贈り物にもぴったり。

（☞P36）

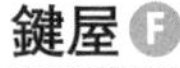

金鱗湖周辺
かぎや
鍵屋 F

亀の井別荘（☞P45）に併設。全国からセレクトされた商品が並び、迷ってしまうほどの品揃え。オリジナルの食品や雑貨（☞P36）も販売。

（☞P36）

ベーカリーを併設するカフェ ラ リューシュ（☞P19）では、特製の焼き菓子などをおみやげに買うことができます。

ココにも行きたい

湯布院のおすすめスポット

金鱗湖周辺

天祖神社
てんそじんじゃ

湖に鳥居が立つ神秘的なたたずまい

金鱗湖の水面に鳥居がある神社。神社脇からは由布山系の湧き水が出ており、境内には市の天然記念物に指定されている大きな杉の御神木が立つ。散歩の途中でお参りしよう。DATA☎0977-84-2446（由布市ツーリストインフォメーションセンター）住由布市湯布院町川上1561-1 ⏰参拝自由 交JR由布院駅から徒歩30分 Pなし MAP P119D3

湯布院南

宇奈岐日女神社
うなぎひめじんじゃ

神秘的な伝説（P115）に想いを馳せて

「うなぎ（ぐ）」とは、昔の勾玉などの飾りのこと。それを付けた身分の高い女性が巫女として仕えていた神社。辻馬車（☞P17）も停車。境内には、樹齢600年以上の杉の切り株が御神木として祀られている。DATA☎0977-84-3200 住由布市湯布院町川上2220 ¥⏰休境内自由 交JR由布院駅から徒歩15分 P3台 MAP P118B4

湯布院IC周辺

ゆふいん文学の森
ゆふいんぶんがくのもり

太宰治が住んだアパートが湯布院に

太宰治が数々の名作を生み出した東京・杉並区の「碧雲荘」が由布岳を望むこの地に移された。ノスタルジックな雰囲気が漂う館内のあちこちに読書が楽しめるスペースがあるほか、食事やお茶ができるスポットも。DATA☎0977-76-8171 住由布市湯布院町川北平原1354-26 ¥入館無料 ⏰10～17時 休不定休 交JR由布院駅から車で7分 P12台 MAP P116A4

由布院駅周辺

陽だまり食堂
ひだまりしょくどう

生産者直送の野菜を使った家庭料理

JA大分ゆふいん直営の農産物直売所に併設する食堂。湯布院の農家が丹精込めて作った野菜を使い、地元で昔から作られている家庭料理を提供する。リーズナブルな価格の定食メニューはどれもボリューム満点。DATA☎0977-84-2270 住由布市湯布院町川上2914-1 ⏰11時～14時30分LO 休火曜・金曜不定休 交JR由布院駅から徒歩2分 P5台 MAP P118B2

湯の坪街道周辺

原っぱカフェ
はらっぱかふぇ

料理はビュッフェスタイル、お代は寄付制

カラダが元気になりそうな料理をビュッフェスタイルで楽しめる。ご飯は地元米を使用し、雑穀と混ぜて炊いたもの。料理代金は、食べた人が自分の満足度に応じて自分で値段を決めて箱に入れるというユニークなスタイル。DATA☎0977-84-2621 住由布市湯布院町川上1525-12 ⏰11時50分～14時 休火・水曜 交JR由布院駅から徒歩15分 P5台 MAP P119D2

湯の坪街道

西風和彩食館 夢鹿
せいふうわさいしょっかん むじか

和と洋が絶妙のバランスを醸す

日本人の感性に合うアレンジを加えた創作洋食が味わえる。地元農家から仕入れた野菜を使い、彩り鮮やかな盛り付けも美しい。写真は、季節によって内容が変わる肉のランチコース2200円。昼夜ともに5種類のコースを用意。DATA☎0977-84-5266 住由布市湯布院町川上1469-2 ⏰11時～14時15分LO、17～20時LO 休水曜 交JR由布院駅から徒歩16分 Pなし MAP P119D2

column

街なかのファンタジックスポット

ゆふいん ふろーらる う゛ぃれっじ

YUFUIN FLORAL VILLAGE

英国・コッツウォルズ村を再現した複合施設。猫カフェやショップ、女性専用の宿泊施設などが揃う。DATA☎0977-85-5132 住由布市湯布院町川上1503-3 ⏰9時30分～17時30分 休無休 交JR湯布院駅から車で5分 Pなし MAP P119D2

湯の坪街道周辺

Yufunokahori
ゆふのかほり

新鮮野菜とチーズを使ったイタリアン

ゆふいん野菜と由布院チーズ工房「うらけん」のチーズを使ったメニューが味わえる、家庭的な手作りイタリアンの店。名物のガレット820円やパスタ930円～はたっぷりのモッツァレラチーズと自家製ヨーグルトソースを使用している。DATA☎0977-85-3930 住由布市湯布院町川上1474-8 ⏰12時～15時30分LO 休日・火曜 交JR由布院駅から徒歩15分 P2台 MAP P119D2

由布院駅周辺

Siesta
しえすた

空間もステキなオーガニックカフェ

ベジタブルから揚げがたっぷりのったベジから丼1000円と具だくさんな本日のカレー1000円の2種のランチが人気。お茶480円～のみの利用もOK。アンティーク雑貨店とカフェを併設している。DATA☎0977-85-4070 住由布市湯布院町川上3052-3 ⏰10～17時 休不定休 交JR由布院駅から徒歩5分 P1台 MAP P118B2

金鱗湖周辺

ちゃ いおり
茶 いほり

喧騒から離れすすり茶で一服

金鱗湖の南に位置する茶房。名物のすすり茶は温度を変えながらお湯を注ぎ、何杯か淹れて味の変化を楽しんだ後、茶葉を食し、その奥深い味わいを残さず堪能しよう。すすり茶セット1500円。DATA ☎0977-85-3075 住由布市湯布院町川上1719-3 ◷12～16時 休水・木曜（祝日の場合は営業）交JR由布院駅から車で5分 P2台 MAP P119D3

湯の坪街道

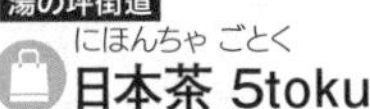

にほんちゃ ごとく
日本茶 5toku

九州の上質な茶葉を気軽に満喫

湯布院の茶舗が手がける日本茶スタンド。ブレンドマスターが選んだ福岡の抹茶や鹿児島の和紅茶など5種類の茶葉を基本にした、ストレートティーやラテを味わえる。DATA ☎0120-37-2539（麻生茶舗内）住由布市湯布院町湯の坪1080-1 ◷10時30分～17時 休不定休 交JR由布院駅から徒歩15分 Pなし MAP P118C2

湯の坪街道周辺

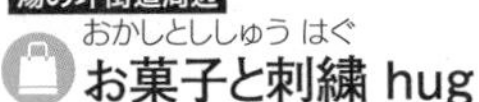

おかしとししゅう はぐ
お菓子と刺繍 hug

九州の素材のスイーツがずらり

湯布院の住宅街にあるかわいらしいスイーツショップ。湯布院町産の卵や九州の素材を使用し、愛情たっぷりに作られた焼き菓子やケーキなどの生菓子はやさしい味わい。人気はスコーンやマフィン、ムースなど。DATA ☎090-1922-0947 住由布市湯布院町川上1043-27 ◷10～17時 休日～火曜 交JR由布院駅から徒歩15分 P3台 MAP P119D1

湯の坪街道周辺

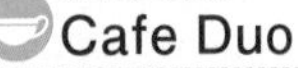

かふぇ でゅお
Cafe Duo

かわいすぎる3Dラテとご自慢スイーツ

3Dラテアート550円～は自分で顔や肉球を描くことができると大人気。ほかにもケーキやサンドのメニューがある。天気のよい日には広い店内から由布岳を眺望でき、落ち着いた空間で至福の時を楽しもう。DATA ☎0977-85-3955 住由布市湯布院町川上1159-1 ◷10～16時LO 休不定休 交JR由布院駅から徒歩15分 P7台 MAP P119D2

湯の坪街道周辺

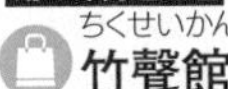

ちくせいかん
竹聲館

しなやかで強く美しい竹細工を

竹工芸家・高見八州洋氏が営む竹の専門店。伝統の職人技と新世代の感性が融合した新作が注目を集めている。籠バッグのブランド「crafty」などファッションアイテムもラインナップしている。DATA ☎0977-84-7414 住由布市湯布院町川上2381-7 ◷10～17時 休月～木曜 交JR由布院駅から車で5分 P2台 MAP P118B4

由布院駅周辺

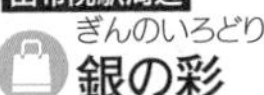

ぎんのいろどり
銀の彩

和のテイストを加えた創作スイーツ

フランス菓子の技法に湯布院らしい和のテイストをプラスした由布くりーむ棒230円～が人気。シュー生地にカスタードクリームとつぶ餡をはさんだプレーンをはじめ、さまざまなバリエーションがある。DATA ☎0977-76-5783 住由布市湯布院町川上2935-3 ◷11～17時（金～日曜は～18時）休不定休 交JR由布院駅から徒歩3分 P3台 MAP P118B2

湯の町ならではのユニーク温泉スポット

湯布院では街なかのいたるところに足湯施設が設置されているなど、個性的な温浴施設も多いので要チェックです。

じぇいあーるゆふいんえきのあしゆ
JR由布院駅のあし湯

列車の待ち時間にどうぞ

駅のホームにあし湯が設置されているという全国でも珍しい施設。ポストカードにも使える足湯券は、便利なミニタオル付き。DATA ☎なし 住由布市湯布院町川北8-2 ¥入浴200円 ◷9～19時 休無休 交JR由布院駅構内 Pなし MAP P118B2

ゆふいんけんこうおんせんかん くあーじゅゆふいん
湯布院健康温泉館 クアージュゆふいん

温泉で健康増進をはかろう

ドイツ式の健康温泉療法が体験できる。ジャクジー浴など水着で楽しめる。DATA ☎0977-84-4881 住由布市湯布院町川上2863 ¥入浴+プール830円、入浴のみ520円 ◷10時～21時30分（最終受付21時）休第2・4木曜 交JR由布院駅から徒歩7分 P40台 MAP P118B3

したんゆ
下ん湯

湖畔の茅葺き屋根が目印

金鱗湖のほとりにある混浴の共同浴場。入口にある料金箱に入浴料を入れよう。内湯と露天があり、どちらも熱めの温泉。DATA ☎なし 住由布市湯布院町川上1585 ¥入浴300円 ◷10～20時 休不定休 交JR由布院駅から徒歩20分 Pなし MAP P119D3

由布岳の恩恵を受けた、豊富な湯量を誇る由布院温泉の源泉の数は852本、別府温泉に次いで全国第2位なのです。

極上の癒やしへと誘う 湯布院の“御三家宿”

宿のクオリティの高さに定評がある温泉リゾート・湯布院。
名宿として名高いこちらの3軒では、極上の癒やし時間が過ごせます。

1 宿へと続くアプローチ。森の中を歩いているような気分に
2 宿泊者専用の談話室にはコーヒーなどが置かれている
3 北欧製の白木ベッドには久留米絣でくるまれた羽布団が備わる

湯の坪街道周辺

ゆふいん たまのゆ

由布院 玉の湯

全国の憧れを集める すがすがしい緑が包む宿

昭和28年（1953）に禅寺の宿泊処としてスタート。開業当初から、湯布院を温泉保養型リゾートにと考えた宿主・溝口（みぞぐち）薫平（くんぺい）さんは、庭に木を植えることから始めた。今やその樹々は豊かな森となり宿泊者をやさしく癒やす。季節感あふれる山里料理も、静かな空間に似合う滋味深い味わいとなっている。

☎0977-84-2158 住由布市湯布院町川上2731-1 交JR由布院駅から徒歩12分 送迎なし P30台 室全16室 ●1953年開業 MAP P118C2 ●風呂：内湯あり 露天あり ●泉質：単純温泉 ●立ち寄り湯なし

満ちる空気がさわやか！

玄関に向かうアプローチには常に水が打たれ、しっとりとした雰囲気

CHECK

✤1泊2食付き料金✤
平日4万1950円～
休前日4万6350円～
✤時間✤
IN14時 OUT12時

泊まらなくても利用できます
◎ ニコルズバー☞P34
◎ 由布院市☞P36、41

4 すべての客室に温泉を引いた内風呂が付く 5 宿泊客以外も利用できる食事処・山里料理 葡萄屋 6 地元の契約農家から届く季節の野菜が味わえる夕食一例

 源源泉かけ流し 部屋食 エステあり 禁煙ルームあり ゆ大浴場あり ひとり宿泊OK インターネット可

金鱗湖周辺

かめのいべっそう

亀の井別荘

美の哲学を秘めた静謐なる空間

大正時代に要人を接待する別荘として建てられた歴史をもつ。金鱗湖畔の広大な自然林の中に離れと本館が配され、静かな庭の中で、真心のもてなしを受けながら穏やかな時間が過ごせる。

☎0977-84-3166 住由布市湯布院町川上2633-1 交JR由布院駅から車で7分 送迎なし P12台 室全17室 ●1921年開業 MAP P119D3 ●風呂：内湯あり 露天あり ●泉質：単純温泉 ●立ち寄り湯なし

CHECK
1泊2食付き料金
5万4150円～
時間
IN15時 OUT11時

泊まらなくても利用できます

◎ 茶房 天井桟敷☞P23 ◎ 湯の岳庵☞P26
◎ Bar山猫☞P35 ◎ 鍵屋☞P36、41

1 趣のある小さな茅葺きの門。この先に宿泊者専用のスペースが広がる 2 ガラス張りの天井からやわらかな日が射す大浴場 3 居間と寝室が別となる離れの和室からは緑の庭が望める

鳥越

さんそうむらた

山荘無量塔

贅を尽くした極上のモダン空間

街の中心から少し離れた静かな山あいにたたずみ、敷地内にはすべて趣の異なる12室の離れが点在する。広々とした客室は、和と洋を巧みに取り入れてデザインされたスタイリッシュな空間。

☎0977-84-5000 住由布市湯布院町川上1264-2 交JR由布院駅から車で10分 送迎あり P20台 室全12室 ●1992年開業 MAP P119F1 ●風呂：内湯あり 露天なし ●泉質：単純温泉 ●立ち寄り湯なし

CHECK
1泊2食付き料金
5万5950円～
（シーズンにより変動あり）
時間
IN15時 OUT11時

泊まらなくても利用できます

◎ 匠舗蔵拙☞P25

1 ガラス窓を開けると庭の緑がすぐそばに 2 宿泊客専用の談話室。洗練されたインテリアが印象的 3 夕食の一例。和牛五葷諸味焼き

開放感バツグン！露天風呂が評判の宿にお泊まり

湯布院のランドマーク・由布岳を望みながら、また四季折々に美しい大自然に包まれながらゆっくりと浸かる温泉は格別です。

露天風呂自慢

高台に立ち、雄大な由布岳が眼前に迫る。写真は女性専用・空海の湯。

川南

やまのほてる むそうえん

山のホテル 夢想園

九州屈指と称される絶景の大露天

湯布院の町づくりを、亀の井別荘（☞P45）、由布院 玉の湯（☞P44）の主人とともに牽引してきたのがこちらの宿主。その志は今も受け継がれ、心づくしのもてなしで迎えてくれる。大露天風呂は圧倒的な広さの温泉で、風音に耳を澄ませば、自然とひとつになる心静かなひとときが味わえる。

☎0977-84-2171 住由布市湯布院町川南1243 交JR由布院駅から車で7分 送迎なし P60台 室全29室 ●1993年改装 MAP P116B4 ●風呂：内湯あり 露天あり ●泉質：単純温泉 ●立ち寄り湯あり

CHECK
✣1泊2食付き料金✣
平日 2万4350円～
休前日 2万6550円～
✣時間✣
IN15時 OUT11時

1 新館弘法亭和室。1泊2食付き3万4250円～ 2 館内の宿泊者専用ラウンジで味わえるプリン550円は職人の手作り。ラウンジの窓からも由布岳が一望できる 3 地元の野菜や国産和牛、川魚を使った夕食一例

湯布院南

ゆふのごう さいがくかん

柚富の郷 彩岳館

旬の美食と絶景に心満たされる

由布岳を一望できる男女別の露天風呂は、源泉かけ流し。美肌効果があるといわれる天然の保湿成分・メタケイ酸を多く含む泉質が自慢で、飲泉場も備える。旬の素材を使用した季節料理も評判だ。

☎0977-44-5000 住由布市湯布院町川上2378-1 交JR由布院駅から車で5分 送迎あり P30台 室全16室 ●1999年開業 MAP P118B4 ●風呂:内湯あり 露天あり ●泉質:単純温泉 ●立ち寄り湯なし

露天風呂自慢

大浴場のほか5つの貸切湯があり、どの風呂からも由布岳が望める。

CHECK
1泊2食付き料金
平日2万6550円～
休前日3万950円～
時間
IN15時 OUT11時

1露天風呂付きの客室 2夕食は季節感を生かした創作柚富会席。献立の内容は月替わり

1客室からは棚田の風景を楽しめる 2夕食には猪肉などを使った特別会席を提供

露天風呂自慢

開放的な露天風呂では、由布岳をはじめ、湯布院の大自然を感じられる。

CHECK
1泊2食付き料金
平日3万8000円～
休前日4万5000円～
時間
IN15時 OUT12時

湯布院北

かい ゆふいん

界 由布院

湯布院の原風景を感じられる宿

斜面には棚田が広がり、秋から冬にかけて朝霧が立つ幻想的な風景を眺めながらくつろげる。大浴場は湯布院のシンボル・由布岳に面し、雄大な景色を観賞しながら名湯を満喫できる。

☎050-3134-8092(界予約センター) 住由布市湯布院町川上398 交JR由布院駅から車で10分 送迎あり P45台 室全45室 ●2022年開業 MAP P116B3 ●風呂:内湯あり 露天あり●泉質:弱アルカリ性単純泉●立ち寄り湯なし

湯布院IC周辺

あさぎりのみえるやど ゆふいんはなよし

朝霧のみえる宿 ゆふいん花由

湯布院の街並みを見下ろす

標高550mの高台に立ち、由布岳を正面に望む宿。運がよければ、秋から冬にかけての早朝には露天風呂から湯布院盆地を包む美しい朝霧を見ることができる。女性用露天風呂にはジャクジーも付く。

☎0977-85-5000 住由布市湯布院町川北913-11 交JR由布院駅から車で7分 送迎あり P20台 室全31室 ●1998年開業 MAP P116A3 ●風呂:内湯あり 露天あり ●泉質:単純温泉 ●立ち寄り湯なし

露天風呂自慢

日暮れ後の露天では、街の明かりがキラキラと輝く夜景がキレイ。

CHECK
1泊2食付き料金
平日3万3580円～
休前日 3万8980円～
時間
IN15時 OUT10時

1夕食は地元野菜や豊後水道の新鮮な魚を使ったオリジナル料理 2離れの和洋室には露天テラスも

由布院温泉は「湯布院温泉郷」として国民保養温泉地に指定されており、疲労回復や神経痛などさまざまな効能が期待されます。

湯布院の“食”が楽しめます 料理自慢のおいしい宿へ

豊後牛にゆふいん野菜…地元でしか味わえない旬の味覚を堪能するのも旅の醍醐味。何度でも訪れたい、料理人の技が光る料理が人気の旅館をご紹介します。

こんな料理が楽しめます

メインのほかお造り、豊後牛ステーキなども。野菜は毎朝契約農家から仕入れる。

CHECK
✣1泊2食付き料金✣
平日3万6645円～
休前日3万8232円～
✣時間✣
IN15時 OUT11時

1 夕食は吟味された食材を使った創作懐石が堪能できる 2 離れの客室は、メゾネットタイプと特別室の2タイプ 3 離れ特別室の露天風呂 4 水戸岡氏デザインのロビーラウンジ

金鱗湖周辺

そうあんこすもす

草庵秋桜

観光にも便利な立地にあり 厳選素材で作る創作料理も自慢

水戸岡鋭治氏のデザインが魅力。3世代がくつろげる工夫が随所にみえる宿。客室は本館に6室、露天風呂付きの離れが6室。源泉かけ流しの温泉は家族風呂でも楽しめる。

☎0977-85-4567 住由布市湯布院町川上1500 交JR由布院駅から徒歩15分 送送迎あり P12台 室全12室 ●2017年改装 MAP P119D2 ●風呂：内湯あり 露天あり●泉質：単純温泉 ●立ち寄り湯なし

湯布院IC周辺

おやどにほんのあしたば

おやど二本の葦束

自然豊かな山あいの旬を味わう どこか懐かしい郷土の味

約4500坪の広大な敷地内に点在する、13棟の離れからなる宿。客室は、和と洋のバランスが絶妙な美しいしつらえとなっている。食事は山菜や地元農家の野菜が中心の創作料理が魅力。

☎0977-84-2664 住由布市湯布院町川北918-18 交JR由布院駅から車で7分 送送迎なし P15台 室全13室 ●1995年開業 MAP P116A3 ●風呂：内湯あり 露天あり ●泉質：単純温泉 ●立ち寄り湯なし

こんな料理が楽しめます

朝食は野菜メインの10品が並ぶプレートのほか6種類以上の料理が並ぶ。

CHECK
✣1泊2食付き料金✣
4万9760円～
✣時間✣
IN15時 OUT11時

1 評判の朝食は彩り豊かな小鉢が並びボリューム満点 2 木々の木洩れ日が美しい大露天風呂。貸切も可能 3 ホームシアター付きの離れ「再来」のベッドルーム

 源泉かけ流し 部屋食 エステあり 禁煙ルームあり 大浴場あり ひとり宿泊OK インターネット可

金鱗湖周辺

ゆふいんべってい　いつき

由布院別邸　樹

見た目にも美しい 季節感に彩られた旬の味を

スタイリッシュなインテリアで統一された客室はシンプルで洗練された雰囲気。湯布院町内で生産された旬の食材を中心に使用した創作料理は、先付けからデザートまで繊細な逸品が揃う。

☎050-3528-2931 住由布市湯布院町川上2652-2 交JR由布院駅から車で5分 日送迎あり P15台 室全13棟 ●2017年一部改装 MAP P118C3 ●風呂：内湯あり露天あり●泉質：単純温泉●立ち寄り湯なし

こんな料理が楽しめます

湯布院の豊かな土壌が育んだ食材で、季節感あふれる創作会席を用意。

CHECK
✣1泊2食付き料金✣
平日4万850円～
休前日4万5250円～
✣時間✣
IN15時 OUT11時

1夕食のコース例。地産地消で旬の食材を使用した由布院料理が堪能できる 2和モダンの空間で癒やしの時間を過ごせる「山吹」3客室「木蓮」の露天風呂

湯布院北

ゆとりのやど　いっこてん

湯富里の宿 一壷天

美しく盛られた一皿一皿に 四季の気配が感じられる

館内は古美術商でもあるオーナーがセレクトした家具や骨董品が配され、高級感漂う大人の空間。美しく繊細に盛り付けられた創作料理は上品な味わい。料理を求めて毎年通うゲストも多い。

☎0977-28-8815 住由布市湯布院町川上302-7 交JR由布院駅から車で7分 日送迎なし P10台 室全10室 ●2017年増築 MAP P116B3 ●風呂：内湯なし 露天あり ●泉質：アルカリ単純温泉●立ち寄り湯なし

こんな料理が楽しめます

吟味した地元の食材の素材の味を生かし、美しい器に盛り付けた和懐石。

CHECK
✣1泊2食付き料金✣
5万2500円～
（シーズン時料金割増あり）
✣時間✣
IN15時 OUT11時

1夕食の食材は季節ごとに変わる 2貸切家族風呂から由布岳を望む 3メゾネットタイプのプライベートヴィラ「別邸 藤黄」。8名まで宿泊可能

金鱗湖周辺

りょてい たのくら

旅亭 田乃倉

しっとりとした空間で 美しく彩られた料理を味わう

賑やかな場所にありながら、緑に囲まれた静かな宿。独創的な京風にアレンジした「おおいた和牛しゃぶしゃぶ」など、季節の素材を生かした美しい料理を目当てにリピート客も多い。姉妹館「湯布院 山灯館」の大浴場が利用可。

☎0977-84-2251 住由布市湯布院町川上1556-2 交JR由布院駅から車で7分 日送迎なし P14台 室全11室 ●2001年改装 MAP P119D3 ●風呂：内湯あり 露天あり ●泉質：単純温泉 ●立ち寄り湯なし

こんな料理が楽しめます

先付け、お造りなど、麗しく彩り豊かな盛り付けが特徴の湯布院では珍しい京風懐石。

CHECK
✣1泊2食付き料金✣
3万3250円～
✣時間✣
IN15時 OUT11時

1豊後の海の幸、山の幸をふんだんに使った料理 2しっとりと落ち着いた客室 3檜造りの風呂。大浴場は毎日男女入替制

リーズナブルでおすすめです 温泉が楽しめるB&Bの宿

宿泊+朝食を提供するB&Bは自由なプランで旅をしたい人の強い味方。
温泉も楽しめ、アットホームな空間を提供してくれる手頃な宿をご紹介します。

川南

ゆふいんふろーらはうす

ゆふいんフローラハウス

田園の中に立ち、木を多用した客室はくつろぎに満ちている。温泉熱を利用した温室があり、胡蝶蘭やハーブなどを栽培している。

☎0977-84-2718 住由布市湯布院町川南71-1 交JR由布院駅から車で10分 回送迎なし P10台 室全4室 ●2001年開業 MAP P116B4 ●風呂：内湯あり 露天なし ●泉質：単純温泉 ●立ち寄り湯なし

広い中庭をはじめ各所にベンチが用意され、ゆったりと過ごせる

CHECK
✣素泊まり料金✣
平日6600円～
休前日7700円～
✣時間✣
IN15時 OUT10時

貸切風呂

貸切なので、ゆっくりと温泉を楽しめる。利用時間は7～10時と15～23時。

温泉はコチラ！

湯の坪街道周辺

ゆふいん やまぼうし

由布院 山ぼうし

のびのびと過ごせる和室のほかツイン、ダブルの洋室も揃うB&Bスタイルの宿。客室はすべてトイレ、洗面所付き。

☎0977-84-2108 住由布市湯布院町川上3045-5 交JR由布院駅から徒歩6分 回送迎なし P10台 室全11室 ●1997年開業 MAP P118C2 ●風呂：内湯あり 露天あり ●泉質：単純温泉 ●立ち寄り湯なし

洋室のほか和室もあり、客室から由布岳が望める。全室禁煙

CHECK
✣1泊朝食付き料金✣
平日8950円～
休前日9500円～
✣時間✣
IN15時 OUT10時

別棟の露天風呂

敷地内に源泉があり、露天のほかに内湯、貸切風呂と設備も充実。

温泉はコチラ！

由布院駅周辺

ゆふいんいよとみ

由布院いよとみ

昭和3年（1928）創業の宿をリノベーションした館内は、どこもスタイリッシュな趣。旬の野菜や豊後牛が味わえる食事付きプランも充実。

☎0977-84-2007 住由布市湯布院町川南848 交JR由布院駅から徒歩8分 回送迎なし P20台 室全22室 ●2018年改装 MAP P118A3 ●風呂：貸切専用（内湯あり 露天あり）●泉質：単純温泉 ●立ち寄り湯あり

女性に人気の櫻の間。半露天の内風呂が付く

CHECK
✣1泊朝食付き料金✣
平日8000円～
土・日曜日1万円～
✣時間✣
IN15時 OUT10時

露天風呂

90度以上ある源泉を由布岳の湧水で適温にして使用。5種類ある風呂はすべて貸切専用。

温泉はコチラ！

源泉かけ流し　部屋食　エステあり　禁煙ルームあり　大浴場あり　ひとり宿泊OK　インターネット可

湯布院の くつろぎ宿

おもてなしの心が光る
一度は泊まってみたい
温泉宿をご紹介。

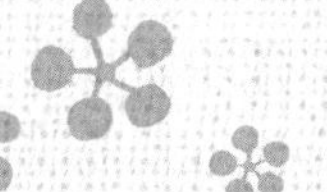

湯の坪街道

きっしょうかいうんてい むじんぞう

吉祥開運亭 無尽蔵

湯の坪街道沿いのモダン宿

1日4組限定の宿。本館と離れの客室にはすべて内岩風呂を完備。館内には洋食が食べられるレストランも併設する。静かで落ち着いたプライベート空間を堪能できる。DATA☎0977-84-2236 住由布市湯布院町川上1536-1 ¥平日1万9440円～ 休前日2万1600円～ ⏰IN15時／OUT11時 交JR由布院駅から徒歩14分 送迎なし P4台（要予約）室全4室 ●2004年開業 MAP P119D2

●風呂：内湯あり 露天なし ●泉質：単純温泉 ●立ち寄り湯なし

湯の坪街道周辺

おやど ゆふいんてい

御宿 ゆふいん亭

懐かしさ漂うくつろぎの宿

全室離れタイプで、プライベート感たっぷり。特に人気なのは和洋室の客室。季節感あふれる彩り豊かな創作懐石や湯上り後の無料ドリンク、ゆで卵も好評。DATA☎0977-85-4296 住由布市湯布院町川上1027-3 ¥平日2万4000円～ 休前日2万9000円～ ⏰IN15時／OUT12時 交JR由布院駅から徒歩15分 送迎なし P16台 室全16室 ●2001年開業 MAP P118C2

●風呂：内湯なし 露天あり ●泉質：単純温泉 ●立ち寄り湯あり

湯の坪街道周辺

べっそう こんじゃくあん

別荘 今昔庵

離れでしっとりとくつろげる

母家と離れ、露天風呂、食事処が独立しておりプライベート感たっぷり。露天付きの離れは全4室。家庭的な雰囲気のなか、季節の野菜をふんだんに取り入れた手料理に心ほぐれる。DATA☎0977-85-3031 住由布市湯布院町川上1417 ¥平日1万8000円～ 休前日1万9000円～ ⏰IN16時／OUT10時 交JR由布院駅から車で7分 送迎あり P10台 室全9室 ●1992年開業 MAP P119E2

●風呂：内湯あり 露天あり ●泉質：単純温泉 ●立ち寄り湯なし

鳥越

おんじゅく やぐら

御宿 八遇來

由布岳を望む野趣にあふれる宿

本館客室と離れ客室があり、全室露天風呂付き。特選おおいた和牛や大分県産ハーブ鶏の炭火焼などの創作料理も自慢。昼食と温泉のセットや露天風呂付きの客室に昼食が付いたプランも。DATA☎0977-85-5110 住由布市湯布院町川上1270-81 ¥平日2万8600円～ 休前日3万3000円～ ⏰IN15時 OUT10時 交JR由布院駅から車で5分 送迎あり P10台 室全12室 ●1995年開業 MAP P119F1

●風呂：内湯あり 露天あり ●泉質：単純温泉 ●立ち寄り湯なし

湯布院北

ゆふいんげっとうあん

ゆふいん月燈庵

広々とした純和風の露天付き離れ

広大な敷地内には12棟の離れが点在し、敷地奥には別館渓酔居の離れ6棟も。築300年ほどの古民家を移築した母屋と離れを結ぶ吊橋を渡ると聞こえてくる、川のせせらぎも心地よい。DATA☎0977-28-8801 住由布市湯布院町川上295-2 ¥平日3万2015円～ 休前日3万7145円～ ⏰IN15時 OUT11時 交JR由布院駅から車で7分 送迎なし P15台 室全18室 ●2002年開業 MAP P116B2

●風呂：内湯あり 露天あり ●泉質：単純温泉 ●立ち寄り湯なし

金鱗湖周辺

ゆふいんゆうべるほてる

由布院ユウベルホテル

多彩な風呂でゆっくり湯浴みを

自然に抱かれた緑豊かな場所に立つ洗練されたホテル。露天風呂、内風呂、サウナを完備した別館「こだちの湯」もあり、森林浴をしながら温泉が楽しめる。和洋さまざまなタイプがあり何度も訪れたい宿だ。DATA☎0977-28-2552 住由布市湯布院町川上1691-8 ¥平日1万9340円～ 休前日2万1340円～ ⏰IN15時／OUT10時 交JR由布院駅から車で6分 送迎あり P50台 室全33室 ●2010年開業 MAP P119D4

●風呂：内湯あり 露天あり ●泉質：単純温泉 ●立ち寄り湯なし

湯の坪街道周辺

いやしのさと かんぷてい

癒しの里 観布亭

雄大な由布岳を望む和風旅館

部屋付きの半露天風呂や貸切露天風呂から由布岳の眺望を楽しめるのが魅力。夕食時に供されるメイン料理のおおいた和牛のステーキやすき焼が人気。DATA☎0977-28-8818 住由布市湯布院町川上1065-2 ¥平日2万8000円～ 休前日3万1000円～ ⏰IN15時／OUT12時 交JR由布院駅から車で4分 送迎なし P6台 室全6室 ●2006年開業 MAP P119D1

●風呂：内湯なし 露天あり ●泉質：単純温泉 ●立ち寄り湯なし

スローフードや温泉で癒やされる さわやか草原ドライブ

塚原高原に入った途端、目の前に広がるのは、どこまでも続く草原と青い空。
圧倒的な大自然に身を委ね、心も身体もリフレッシュしましょう。

塚原高原(つかはらこうげん)ってこんなところ

標高約600m、由布岳の北部山麓に広がる塚原高原。雄大な自然を体感しながら、こだわりの食やアートを満喫できる穴場的スポット。

アクセス

車:大分自動車道湯布院ICから県道216・617号経由で9.5km

問合せ

湯布院塚原高原観光協会☎0977-85-2254

広域MAP P116C1～P117E1

濃い緑に覆われた8月下旬の由布岳。雄大な風景に見惚れる

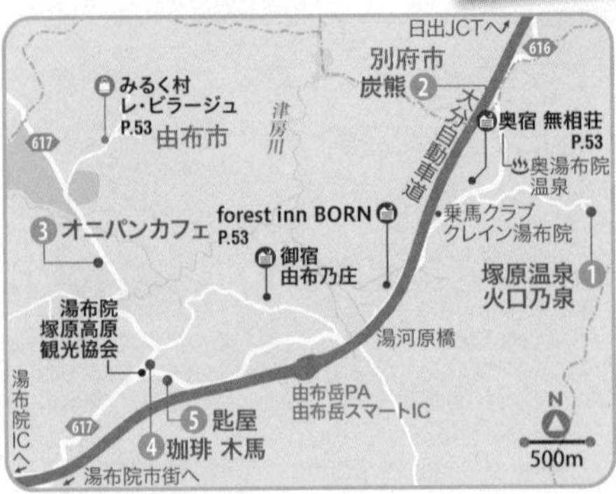

1 塚原温泉(つかはらおんせん) 火口乃泉(かこうのいずみ)

平安時代から湧くと伝わる薬湯

源泉は標高約800mの伽藍岳(がらんだけ)の中腹にあり、皮膚病の改善などに効果があるといわれる自噴かけ流し、強酸性の湯。この泉質の温泉に入浴できる施設は塚原エリアでもここだけ。

1 鉄イオン含有量の多さは日本一 2 湯場から徒歩5分の噴気立ち上る火口の見学もできる

☎0977-85-4101 住由布市湯布院町塚原1235 ¥入浴料内湯500円、露天600円、家族風呂2000円～、火口見学200円 ⏰9～17時最終受付(1・2月10時～、7・8月は～18時最終受付) 休悪天候時 交JR由布院駅から車で18分 P60台 MAP P117E1

7種の味から選べるアイスクリームはいかが？

敷地内にある牧場で搾りたての新鮮な牛乳を使った自家製アイスが味わえる**みるく村レ・ビラージュ**。写真は人気のミルクとかぼちゃのアイスクリーム330円。
☎0977-84-5020 MAP P116C1

2

たんくま
炭熊

自然に囲まれた空間で創作和食を堪能

雑踏から離れた奥湯布院高原リゾートの敷地内にある食事処。大きな梁のある高い天井、窓からは季節の木々が望める趣のある店内で、炭火焼きや牛ひつまぶしのランチを味わおう。

☎0977-85-5023 住由布市湯布院町塚原1240-61 ⏰11時～14時30分LO（事前要予約）休不定休 交JR由布院駅から車で18分 P10台 MAP P117D1

ここでランチ

1 新鮮な地鶏、黒毛和牛を堪能できる炭火焼き料理またはひつまぶし2800円～をランチで提供 2 窓からは季節の木々や由布岳が望める贅沢なロケーション

3

おにぱんかふぇ
オニパンカフェ

美味しく、質よく低価格のこだわりパン

天然酵母を使いながらも価格を抑えた約40種類の手作りパンがずらりと並ぶ。健康に配慮した素材選びを行うほか、パンに使うフィリングなどもすべて手作り。

☎0977-85-5214 住由布市湯布院町塚原135 ⏰10時30分～16時 休火～木曜（祝日の場合は営業）交JR由布院駅から車で17分 P6台 MAP P116C1

1 自家農園で野菜やパン用の小麦粉も栽培。晴れた日にはテラス席で食事も 2 人気のこだわりパンは通販でも購入できる

4

こーひー もくば
珈琲 木馬

とっておきの一日の特別な一杯を

自分好みの珈琲に出合う手助けになれたらと語る笑顔のステキなご夫婦が営む珈琲店。厳選した珈琲豆を自家焙煎し淹れた香り高い珈琲に手作りの焼き菓子が絶妙にマッチ。

☎0977-85-3385 住由布市湯布院町塚原奈良山4-35 ⏰13～17時 休月～木曜 交JR由布院駅から車で13分 P10台 MAP P116C1

1 本日のケーキと珈琲のセット1000円。写真のケーキはナッツのパウンドケーキ 2 落ち着いたグリーンが印象的な外観

5

さじや
匙屋

楽しげに並ぶ生活を彩る道具たち

遊び心ある商品が魅力のクラフトショップ。竹製や木製のカトラリーはすべて隣接する工房で手作り。自然の色合いを生かしたものから赤いビビッドカラーのものまで幅広く揃う。

☎0977-84-5153 住由布市湯布院町塚原4-84 ⏰10～17時 休第3水曜 交JR由布院駅から車で13分 P20台 MAP P116C1

1 写真左から、お弁当スプーン17cm1本1760円、デザートフォーク13cm1本880円、色違いも同額 2 木の種類によって色や手ざわりが異なる

泊まる

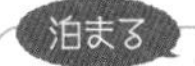

おくやど ぶあいそう
奥宿 無相荘

エステや貸切湯など施設も充実

塚原エリアに入ってすぐの奥由布院高原リゾート内にある宿泊施設。メゾネットタイプやスイートルーム、絶景を望める露天付きの離れなど、バラエティ豊かな客室が揃う。DATA ☎0977-85-2227（予約専用）住由布市湯布院町塚原1240-61 ¥3万8000円～（入湯税別）⏰IN15時 OUT11時 交JR由布院駅から車で18分 送迎あり（有料）P20台 室全12室 ●2010年開業 MAP P117D1

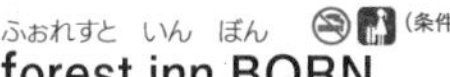

ふぉれすと いん ぼん
forest inn BORN

（条件あり）

森の緑に包まれる癒やしの空間

塚原高原の森の中にひっそりとたたずむ1日6組限定のスタイリッシュな宿。夕食は、厳選した旬の食材を使用し、見た目も美しく独創的に仕上げたフレンチコース。DATA ☎0977-84-2975 住由布市湯布院町塚原1203-6 ¥平日1万8510円～ 休前日2万1750円～ ⏰IN16時 OUT11時 交JR由布院駅から車で20分 送迎あり（駅から宿までの片道分のみ）P7台 室全6室 ●2023年改装 MAP P117D1

高原一帯は自転車で30分程度で巡れる。湯布院塚原高原観光協会の**レンタサイクル**を活用しよう。自転車2時間1000円～など。

ココミルおさんぽ

湯平温泉（ゆのひらおんせん）

～ノスタルジックな温泉街を散策～

湯治場として栄えたレトロな温泉街。
約300年前に造られた石畳の道が今も残ります。

●湯布院からのアクセス

電車:由布院駅からJR久大本線普通で12分、湯平駅下車、車で9分

車:大分自動車道湯布院ICから国道210号、県道537号経由で11km

問合せ☎0977-86-2367(湯平温泉観光案内所)

湯平温泉はココにあります！

お泊まりするなら

奥ゆのひら 花灯り（おくゆのひら はなあかり）

大浴場大露天。美人の湯と評判の湯はアルカリ性単純泉

高台に位置する、森の中の離れの宿。それぞれ造りが異なる8棟の客室は、すべて内湯と露天風呂が備わる。創作会席の夕食も評判。

☎0977-86-2211 住由布市湯布院町湯平675-1 ¥1泊2食付3万円～ ⓘIN15時/OUT10時 交JR湯平駅から車で10分(送迎あり) P8台

石畳の驛つるや（いしだたみのえきつるや）

湯平温泉観光の新拠点

観光案内所が移転し、物産所と休憩所を併設してリニューアル。湯平温泉の名産「ゆのひらんアイス」各種350円やみやげのほか、自然派おやつなども☎0977-86-2367(湯平温泉観光案内所) 住由布市湯布院町湯平346 ⓘ10時30分～17時 休水・木曜 交JR湯平駅から車で10分 Pなし

▲日用品や雑貨、酒などの品揃えも豊富

※地図中の共同浴場は2024年6月現在、泉源調整のため利用休止中

◀夜には赤提灯が点灯し、幻想的な雰囲気に様変わり

◀石畳の坂道と寄り添うように流れる花合野川(かごのがわ)

◀江戸時代から湯治場として栄えた温泉街を貫く石畳の坂道

ここもCHECK

由布川峡谷（ゆふがわきょうこく）

\ 自然が織りなす大峡谷 /

由布川の上流にある長さ約12km、深さ15～60mの大峡谷。40数本の滝が岩肌を流れる様子は涼やかでとても幻想的。散策路が整備されている。

☎097-583-2552(はさま由布川峡谷観光協会) 住由布市挾間町朴木14-2 ¥300円(清掃協力金) 休見学自由 交大分自動車道湯布院ICから国道210号、剣道52号経由で25km P30台

足元を清流が流れ、そびえ立つ断崖が目に飛び込んでくる▲

昭和レトロとアートが融合
湯の街・別府を巡りましょう

街のいたるところで湯けむりがモクモクと立ち上り、
多種多様の泉質と豊富な湯量が自慢の別府温泉。
古き良き温泉情緒に、若いアーティスト達の活気が加わり
街全体が不思議な魅力に包まれています。

別府のシンボル的な存在・竹瓦温泉はぜひ入浴したい温泉の一つ

温泉湧出量日本一の湯の街へ

別府

べっぷ

古くから温泉地として栄えた人情味あふれる街。国際アートフェスティバルが開催されたり、外国籍の留学生が集まる立命館アジア太平洋大学があるせいか、インターナショナルな雰囲気も。

若手職人の手技で、竹やつげを使った伝統工芸品も新感覚のものに

温泉とアート三昧の別府1泊2日プラン

1日目は見て&入浴して別府の湯ヂカラを満喫。2日目は散策しながら別府の路地裏や竹瓦温泉、SELECT BEPPUを巡り昭和レトロとアートを訪ねよう。

1日目

- **大分空港** START
  - 53分 別府駅前
- 10:30 **JR別府駅前の手湯** …P65
  - バスで25分

鉄輪温泉

- 11:00 **海地獄** …P58
  - 徒歩8分
- 12:00 **地獄蒸し工房 鉄輪** …P59
  - 徒歩5分
- 13:30 **鉄輪むし湯** …P64
  - 徒歩5分
- 14:30 **ひょうたん温泉** …P65
  - バスで15分+徒歩5分

別府駅周辺

- 16:00 **竹と椿のお宿 花べっぷ** …P79

2日目 おはよう！

- 10:00 **竹と椿のお宿 花べっぷ**
  - 徒歩13分
- 10:30 **別府タワー展望台** …P62
  - 徒歩10分
- 11:30 **竹瓦温泉** …P60
  - 徒歩3分
- 12:00 **豊後牛ステーキの店 そむり** …P68
  - 徒歩3分
- 13:30 **SELECT BEPPU** …P67、73
  - 徒歩4分
- 14:00 **喫茶なつめ** …P62
  - 徒歩2分
- 15:30 **平野資料館** …P62
  - 徒歩10分
- 16:30 **バス停別府駅前**
  - バスで57分
- **大分空港** GOAL

別府はココにあります！

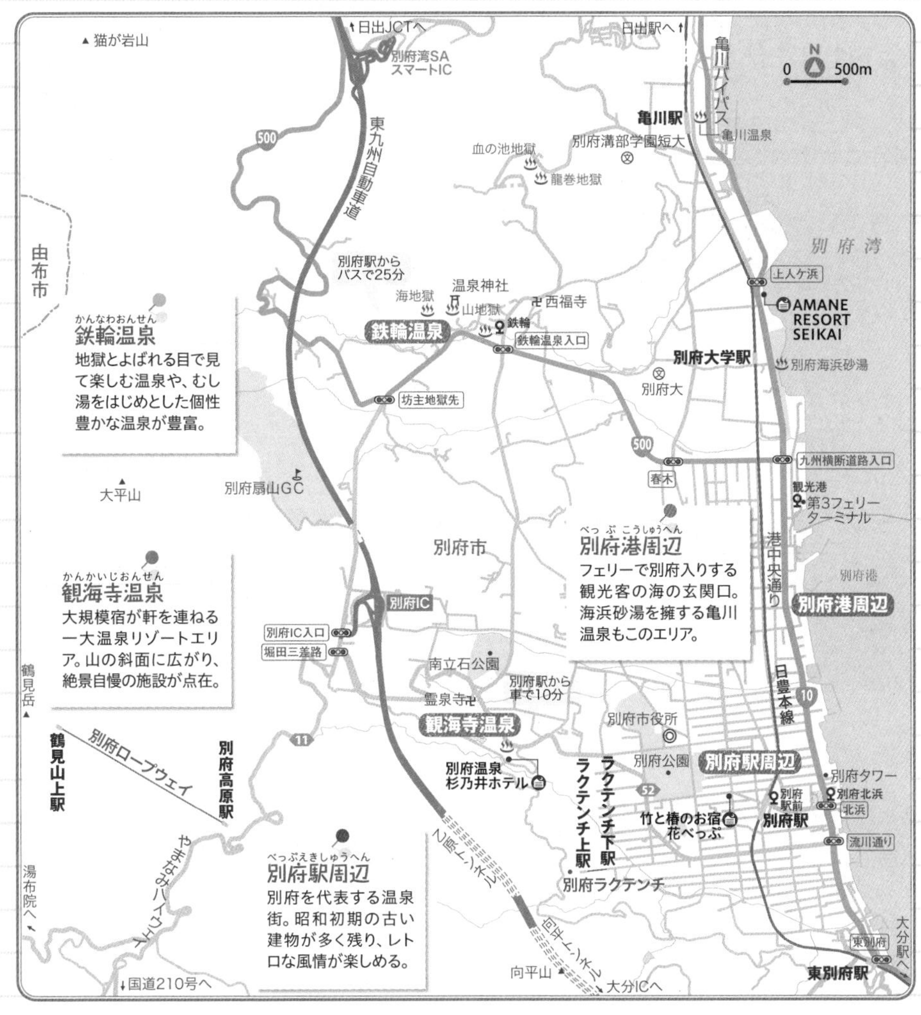

定期観光バス 別府地獄めぐりコース

七五調のガイドが聞ける♪

昭和3年（1928）に運行を開始した地獄めぐり遊覧バス。日本で初めてバスガイドを導入したバスとしても知られ、今でも当時の七五調の名調子でガイドを行っている。

☎0977-23-5170（亀の井バス北浜バスセンター）¥乗車4000円（地獄観覧料含む）別府北浜9時10分、13時50分の1日2便、所要約3時間 休無休

▲事前予約制、予約は「@バスで」

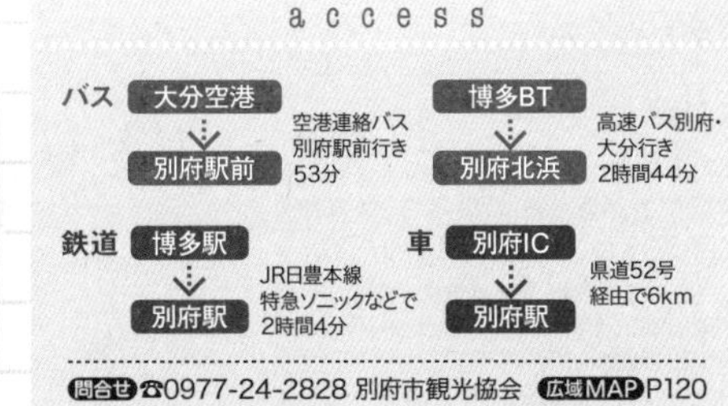

access

バス 大分空港 → 別府駅前　空港連絡バス別府駅前行き53分

博多BT → 別府北浜　高速バス別府・大分行き2時間44分

鉄道 博多駅 → 別府駅　JR日豊本線特急ソニックなどで2時間4分

車 別府IC → 別府駅　県道52号経由で6km

問合せ ☎0977-24-2828 別府市観光協会 広域MAP P120

別府観光では外せません まずは“地獄”をめぐりましょう

散策所要 3時間

いたるところからモクモクと白い湯けむりが上がる“地獄”と名付けられた名所。別府では外せない観光スポットで、噴気で蒸したヘルシーなグルメも楽しめます。

国指定の名勝です

約1200年前の鶴見岳噴火によってできたとされる

① うみじごく 海地獄

妖しいくらいに美しい コバルトブルーに輝く地獄

別府にある地獄のなかで最大の面積を誇る。鮮やかなコバルトブルーの景観は、地獄という言葉に似つかわしくない美しさ。見た目は海のように涼しげに見えるが湯温は98度と高温！一昼夜で150万ℓもの湯が湧いている。

☎0977-66-1577（別府地獄組合）住別府市鉄輪559-1 ¥観覧450円。共通観覧券2200円 ◷8～17時 休無休 交JR別府駅から亀の井バスで23分、海地獄前下車すぐ P225台 MAP P121A3

地獄のおやつ

1 温泉で蒸し上げた極楽饅頭1パック15個入り600円。入口そばの店で販売 2 地獄蒸し焼きプリン1個300円。売店にて販売

徒歩すぐ

泉温は90度

カピバラなどにエサやり100円もできる

② やまじごく 山地獄

荒々しく噴気がシュワー！

山の岩肌から火山噴火のように、勢いよく噴気が上がるため、この名に。温泉熱を利用して多くの動物が飼育されている。

☎0977-66-0647 住別府市鉄輪御幸6組 ¥観覧500円 ◷9～17時（平日10時～）休不定休 交JR別府駅から亀の井バスで23分、海地獄前下車すぐ P50台 MAP P121A3

徒歩4分

③ かまどじごく かまど地獄

バラエティに富む地獄が集結

ボコボコと噴き出る熱泥地獄や噴気、緑やブルーに色が変化する熱泉池などの地獄がある。所要20分の園内ルート終盤には無料の足湯があり、珍しい砂入りの足湯も。

☎0977-66-1577（別府地獄組合）住別府市鉄輪662 ¥観覧450円。共通観覧券2200円 ◷8～17時 休無休 交JR別府駅から亀の井バスで21分、鉄輪下車、徒歩3分 P35台 MAP P121B3

地獄のおやつ

キャラメルレアチーズケーキのような醤油ぷりん1個300円。売店にて販売

地獄の鬼がお出迎え！

95度の熱水から湯気が立ち上る

昭和初期から愛用される人気の軟膏

海地獄から車で約10分の国指定名勝**血の池地獄**(ちのいけじごく)では、地獄の熱泥が主成分となった血ノ池軟膏1500円を販売。渋カワイイパッケージも人気の秘密。

☎0977-66-1191 MAP P120B2

地獄蒸し おいしさのヒミツ

蒸気には温泉成分である塩化物泉の塩分が含まれているため、素材本来の味に加え、ほのかな塩気を感じる仕上がりに。

1 地獄蒸し玉手箱2200円。2人前で充分なボリューム 2 建物右手が受付、湯気が上がる左手が蒸し釜

4 地獄蒸し工房 鉄輪(じごくむしこうぼう かんなわ)

気分は湯治客! 伝統の"地獄蒸し"を体験

鉄輪(かんなわ)温泉で江戸時代以前から行われていたとされる、伝統的な調理法・地獄蒸しが体験できる施設。蒸す素材は、野菜や肉、海鮮など館内で購入できるほか持込みもOK(持ち込み料が必要)。おなじみのヘルシーな蒸し料理に挑戦しよう。

☎0977-66-3775 住別府市風呂本5組 ¥釜使用料400円(延長10分ごとに200円) ⏰9～18時最終受付 休第3水曜(祝日の場合は翌日) 交JR別府駅から亀の井バスで21分、鉄輪下車、徒歩1分 P26台 MAP P121C3

地獄蒸しを楽しみましょう!

1 蒸し釜使用料と食材の券を券売機で購入し、食材とタイマーを受け取る。

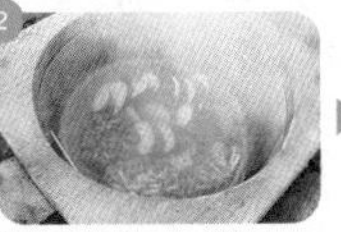

2 蒸し釜スタッフが釜への入れ方や蒸し時間を教えてくれる。

3 蒸気は約100度! やけど防止のためゴム手袋をはめて釜の出し入れを行う。

4 完成! 蒸す事でうま味が引き出されたよう。食後は食器類を洗って返却。

徒歩すぐ

5 足湯(あしゆ)

凝った足湯がずらり

地獄蒸し工房の隣のポケットパークにある無料の足湯。車いすに座ったままで利用できるバリアフリー足湯や、スチームサウナ状の足蒸しなどが揃う。

DATA 地獄蒸し工房 鉄輪と同じ。2024年6月現在、足蒸しは休止中(要問合せ)
MAP P121C3

温泉蒸気が充満する箱の中に足を入れる足蒸し

地獄共通観覧券2200円は7カ所の地獄をめぐれてお得、販売は各地獄の窓口で。

別府駅から歩いて行ける温泉は昭和レトロな雰囲気です

古い映画に出てくるような、味わい深い趣をもつ別府の温泉。
地元の人が日頃から通う湯に浸かれば、よりディープな旅が楽しめそうです。

明治12年（1879）に建てられた当時は竹葺き屋根、その後瓦葺きに改築されたため、竹瓦温泉の名称がついたといわれる

男女別内湯
写真の男湯は塩化物泉、女湯は炭酸水素塩泉。湯殿も天井が高く開放的。

砂湯
10分も横たわると汗びっしょり。砂湯専用の内風呂も併設。

たけがわらおんせん

竹瓦温泉

“湯のまち”のシンボル的存在

明治12年（1879）に創設され、140年以上もの長きにわたり地元の人に愛されている市営温泉。風格のある唐破風（からはふ）造の建物は昭和13年（1938）に建て替えられたもので、天井の高いロビーなど随所に昭和ムードが漂う。男湯と女湯で泉質が異なるのも特徴。

☎0977-23-1585 住別府市元町16-23 ¥入浴300円 砂湯1500円（貸し浴衣付き）※6歳未満入浴不可 ⏰6時30分～22時30分（砂湯は8時～最終受付21時30分） 休第3水曜（祝日の場合は翌日） 交JR別府駅から徒歩10分 Pなし MAP P121C2

館内もレトロです

◀寺社建築のような木製の格子天井

▶柱に掛かる古時計。今も正確に時を刻む

◀昭和の面影を残す畳敷きのスペース

立ち寄り入浴DATA

タオル 販売350円
バスタオル 販売1200円
石けん なし
シャンプー なし
ドライヤー 7分100円
鍵付きロッカー 100円
※シャンプー・リンス・ソープセット 販売100円あり

路地裏のノスタルジック温泉へ

大正15年（1926）創業の**春日温泉**（入浴200円）。淡い水色に塗られた木造の建物は昔懐かしい校舎のような雰囲気を漂わせている。

☎0977-23-1486 MAP P121B1

えきまえこうとうおんせん
駅前高等温泉

駅前通りの洋館風温泉施設

大正13年（1924）に建てられたヨーロッパ風建築の共同浴場。ぬる湯とあつ湯2つの大浴場があり、好みの風呂のチケットを券売機で購入し入浴するシステム。2階は宿泊施設になっており、1泊素泊まりの料金は、畳敷きの広間2000円（相部屋）、個室3000円（金～日曜は+500円）で利用できる（各要入湯税100円）。

☎0977-21-0541 住別府市駅前町13-14 ¥入浴各浴場250円 ⏰6～24時 休無休 交JR別府駅から徒歩2分 P6台 MAP P121B1

あつ湯
湯温43度とその名のとおり熱めの湯。泉質は単純温泉で肌がすべすべになると評判。

館内もレトロです

ぬる湯
2つの浴槽があり、大は40度、小さめの檜風呂は湯温38度と低め。

建物は柱などを外部に表出させたハーフチェンバー様式

◀男湯のサインもどことなくレトロ調

▶2階の踊り場。左右対称の窓が印象的

立ち寄り入浴DATA
タオル 販売160円
バスタオル 貸出100円
石けん 販売50円
シャンプー 販売50円
ドライヤー 貸出50円
鍵付きロッカー 100円

こちらもチェック 明治から続く歴史ある温泉

ふろうせん
不老泉

湯上がりはさっぱりつるり

明治期には浴場があったといわれる歴史ある湯で、大正9年（1920）には当時皇太子だった昭和天皇が入浴されたことも。湯は単純温泉で、湯上がり肌はさらりとした感触に。

☎0977-21-0253 住別府市中央町7-16 ¥入浴250円 ⏰6時30分～22時30分※14～15時は清掃のため利用不可 休第1月曜（祝日は変更の場合あり） 交別府駅から徒歩5分 P9台 MAP P121A2

▲浴槽は市営温泉のなかで最も広く、「あつ湯」と「ぬる湯」が設けられている

▶旧不老泉で使われていた鬼瓦をインテリアに取り入れている

▲風格のある外観

立ち寄り入浴DATA
タオル 販売250円
バスタオル 販売800円
石けん 販売50円～
シャンプー 販売50円
ドライヤー 貸出50円
鍵付きロッカー 100円

別府の街なかには市営の共同浴場が数多く点在、その数は50軒を超えるともいわれています。

ディープな別府を訪ねましょ 昭和レトロな路地裏さんぽ

路地裏に一歩足を踏み入れると、そこには昭和の面影を色濃く残す風景が広がっています。レトロな街並みを巡って、人情味あふれる別府の魅力を体感しましょう。

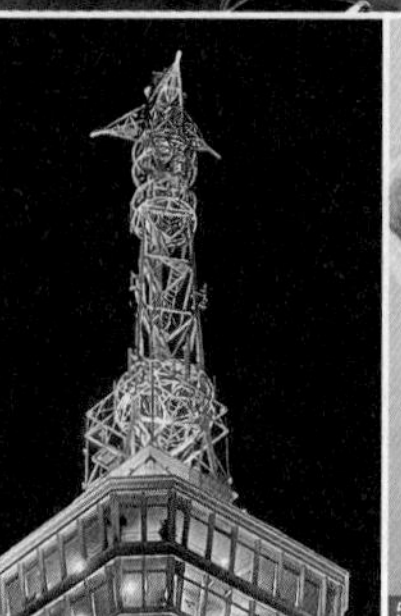

1国の登録有形文化財に登録されている 2別府の海山を望む360度のパノラマ眺望。晴れた日には四国まで見えるとか 3別府タワーライトアップが日本夜景遺産に認定 4レトロな外観の喫茶なつめ 5濃厚なバニラアイスもたっぷり入る喫茶なつめのなつめアラモード970円

START!

1 別府タワー展望台（べっぷたわーてんぼうだい）

60年以上愛され続ける別府のシンボル

昭和32年（1957）に建設された高さ100mの別府タワー。設計者は東京タワーと同じ建築構造技術者の内藤多仲（ないとうたちゅう）氏。地上55mにある17階の展望台からは市街や別府湾を360度一望できる。2023年には大改修工事を終えた。

☎0977-26-1555 住別府市北浜3-10-2 ¥入場料800円 ⏰9時30分～21時30分（最終受付21時）休無休（臨時休館はHPにて告知 交JR別府駅から徒歩10分 P100台 MAP P121C1 ●写真：1 2 3

徒歩8分

2 喫茶なつめ（きっさなつめ）

世間話に花が咲く地元っ子の集いの場

昭和38年（1963）創業、親子二代にわたる老舗喫茶店。名物は、甘酸っぱく香り豊かな自家製のなつめの甘露煮が入った、なつめアラモード970円。そのほか、胃腸にやさしい泉質の温泉水で淹れた温泉コーヒー600円もまろやかな口当たりで評判のメニュー。

☎0977-21-5713 住別府市北浜1-4-23 ⏰11時30分～16時LO 休水曜 交JR別府駅から徒歩7分 Pなし MAP P121B2 ●写真：4 5

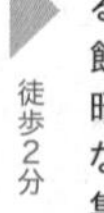

3 平野資料館（ひらのしりょうかん）

貴重な展示資料から観光地・別府の歴史を知ろう

明治～昭和にかけての別府に関する資料約200点を展示する資料館。別府の写真や書籍、大正から昭和初期に作られた観光ポスターなど、展示物は館長の平野さんが集めたコレクション。自宅の1階を無料で開放し、展示している。

DATA ☎0977-23-4748 住別府市元町11-7 ¥入館無料 ⏰14～18時（要予約）休不定休 交JR別府駅から徒歩10分 Pなし MAP P121C2 ●写真：6 7

6所狭しと並ぶ別府の品々のなかには100年前のポスターや絵はがきなども 7別府の観光ポスターをプリントしたはがきは6枚入り500円 8照明には別府の伝統工芸である竹細工が使われている 9ゆずねりをベースにしたジャムをブッセに挟んだゆずまん1個160円 10レトロな雰囲気が魅力

4 竹瓦小路
たけがわらこうじ

大正時代からの歴史をもつ竹瓦温泉へと誘う小路

大正10年（1921）に完成した日本最古の木造アーケード。流川通りと竹瓦温泉を結ぶ長さ約60mのアーケードで、小路の両側には2階建ての棟割長屋がずらりと並ぶ。平成21年（2009）には竹瓦温泉とともに「別府温泉関連遺産」として近代化産業遺産にも認定された。

☎なし 住別府市元町15 🕒散策自由 休無休 交JR別府駅から徒歩10分 Pなし MAP P121C2
●写真：8

徒歩すぐ

GOAL!

5 塩月堂老舗
しおつきどうしにせ

完熟ユズ皮で今も手作り黄金色に輝く「ゆずねり」

明治43年（1910）創業。11～12月に収穫した完熟のユズの皮に砂糖と水飴を加えて炊き上げる、ジャム状のゆずねりが看板商品。このゆずねりをベースにした柚煉ようかん1本1400円や、ゆずまん1個160円も人気。日持ちし、みやげに最適。

☎0977-23-0664 住別府市元町14-16 🕒9～19時 休不定休 交JR別府駅から徒歩10分 Pなし MAP P121C2
●写真：9 10

気軽に入浴できる街なかにある憩いの温泉

JR別府駅から徒歩5分の市営温泉「海門寺温泉（かいもんじおんせん）」。風呂は温度の異なる'あつ湯'と'ぬる湯'があり、熱い温泉に慣れていない観光客でも楽しめる。

☎0977-22-3625 住別府市北浜2-3-2 ¥入浴250円 🕒6時30分～22時30分（清掃休憩あり）休第2月曜（祝日の場合変更あり）交JR別府駅から徒歩5分 P3台 MAP P121B1●泉質：炭酸水素塩泉

別府温泉の雰囲気をより楽しみたいなら、別府駅周辺の路地をガイドとともに歩く**夜の竹瓦路地裏散歩**（☞P76）がおすすめ。

いろいろなお風呂が揃ってます 個性豊かな立ち寄り温泉

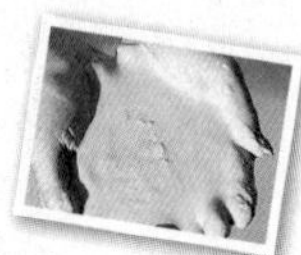

温泉の湧出量、源泉数ともに日本一の別府では、ツウ好みな個性派温泉も多数。泥のパックをしたり、薬草の上で汗をかいたり。別府ならではの温泉を体験してみて。

立ち寄り入浴DATA

タオル 販売200円
バスタオル 販売700円
石けん なし
シャンプー なし
ドライヤー 貸出100円
鍵付きロッカー 100円

変わりダネ風呂
・泥湯・
殺菌効果が高く、硫黄成分を含む。リウマチや糖尿病、アトピー、ヘルニアなど効能は多彩。

明礬温泉

べっぷおんせんほようらんど

別府温泉保養ランド

温泉ツウも絶賛する 希少な濃厚泥湯

泥湯とは、適度な噴気と腐食粘土層、地下水の3要素が揃って初めて生まれる希少な温泉。しかもここは全国でもトップクラスに数えられるほど濃厚で、成分が異なる3種が湧くため、「天然記念物モノ！」と称される。屋外にある混浴露天では泥を顔や全身につけ、自然乾燥させる天然泥パックも楽しめる。

☎0977-66-2221 住別府市明礬5組 ¥入浴1500円 ⏰9～20時 休無休 交JR別府駅から亀の井バスで23分、紺屋地獄前下車すぐ P70台 MAP P120A2
●泉質：硫黄水素泉
●適応症：神経痛、皮膚病、慢性婦人病など

鉄輪温泉

かんなわむしゆ

鉄輪むし湯

とにかく汗が出る！ 湯上りの爽快感は別府随一

鎌倉時代の建治2年(1276)に一遍上人(いっぺんしょうにん)によって開かれたと伝わる。むし湯とはいわゆる和風のサウナで、乾燥させた石菖(せきしょう)という薬草が敷きつめられた8畳ほどの広さの石室に横たわり汗を出すもの。仕上げに内湯で汗を流せば全身スッキリ！Tシャツと短パンを持参してもOK。

☎0977-67-3880 住別府市鉄輪上1組 ¥むし湯700円(内湯入浴料含む、貸浴衣は別途220円) ⏰6時30分～最終受付19時30分 休第4木曜（祝日の場合は翌日）交JR別府駅から亀の井バスで21分、鉄輪下車、徒歩3分 P熱の湯前駐車場12台（有料）または鉄輪温泉地区駐車場19台(有料) MAP P121C3
●泉質：単純温泉(むし湯)、塩化物泉(内湯)
●適応症：神経痛、筋肉痛、関節痛、慢性消化器病、冷え症など

変わりダネ風呂
・むし湯・
薬草の効能か汗が止まらない！干し草のような香りにも癒やされる。

立ち寄り入浴DATA

タオル 販売310円
バスタオル 貸出210円
石けん 無料
シャンプー 無料
ドライヤー 無料
鍵付きロッカー 100円

▲こちらが石菖。清流沿いにのみ群生するそう

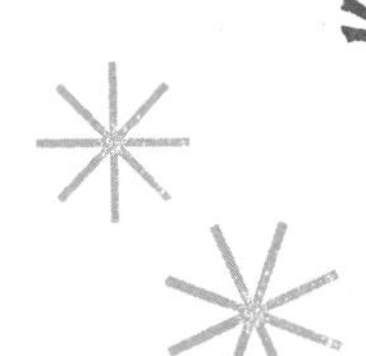

温泉湧出量日本一の別府ならではの粋な計らい

JR別府駅の東口を出るとすぐ目の前にある無料の**手湯**。その名のとおり手を入れて楽しむもので、ボコボコッと湧き出る温泉は贅沢にも源泉掛け流し。
MAP P121A1

鉄輪温泉

ひょうたんおんせん

ひょうたん温泉

多彩な風呂が楽しめ温泉テーマパークのよう

大正11年(1922) 創業。天然の潤い成分といわれるメタ珪酸を豊富に含む温泉は、3mもの高さから流れ落ちる瀧湯や砂湯(別途料金760円)、蒸し湯、歩行浴などに姿を変え、実にバラエティ豊か。地獄蒸し料理が楽しめる食事処や無料休憩所も完備。

☎0977-66-0527 住別府市鉄輪159-2 ¥入浴1020円 ◷9～24時(家族風呂は～翌1時) 休無休(4・7・12月に臨時休業あり) 交JR別府駅から亀の井バスで21分、鉄輪下車、徒歩6分 P100台 MAP P121C4
●泉質：ナトリウム塩化物泉
●適応症：神経痛、筋肉痛、関節痛(浴用)慢性消化器病、慢性便秘(飲用)など

立ち寄り入浴DATA

タオル 販売250円
バスタオル 貸出200円
石けん 無料
シャンプー 無料
ドライヤー 無料
鍵付きロッカー 無料

変わりダネ風呂
温泉吸引
吸えば喉が潤い、顔にあてればお肌しっとり。化粧のりも変わるとか。

これも変わりダネ
温泉ソフト400円。温泉水で作ったプチッと食感のゼリー入り。

観海寺温泉

べっぷおんせん すぎのいほてる「あくあがーでん」

別府温泉 杉乃井ホテル「アクアガーデン」

まるで空に溶け込むような浮遊気分を味わえる温泉

プール感覚で遊べる水着着用の屋外型温泉施設。開放的で眺望のよい展望スパや、光と音が演出するダイナミックで幻想的な噴水ショーなどが楽しめる。隣接の大展望露天風呂「棚湯」へは、更衣室も同じなので、気軽に行き来できる。

☎0977-24-1141 住別府市観海寺1 ¥棚湯とのセット入浴1900円(土・日曜、祝日は2100円) ◷11時～最終入場21時 休無休(状況に応じて休業する場合もあり) 交JR別府駅から無料シャトルバスで15分 P900台 MAP P120B3
●泉質：ナトリウム塩化物泉 ●適応症：神経痛、冷え性、筋肉痛、疲労回復など

立ち寄り入浴DATA

タオル 貸出無料
バスタオル 貸出無料
石けん 無料
シャンプー 無料
ドライヤー 無料
鍵付きロッカー 無料

変わりダネ風呂
展望スパ
昼は別府湾が見渡せる絶景、夜はキラキラ輝く美しい夜景が楽しめる。

ひょうたん温泉では、温泉蒸気を活用して作る料理地獄蒸し温野菜(1200円)などが味わえます。

アートな街へ変貌中です 別府のアートプロジェクト

ここ数年、アートスポットとしても注目を集める別府。その理由を探るとBEPPU PROJECTにたどり着きました。

アーティストが立ち上げたNPO 別府アート化の核にBEPPU PROJECTあり

北浜公園（MAP P121C1）には給水塔をモチーフにした作品を展示。日没～23時には色鮮やかにライトアップされる※①

「アートを社会や人生に当たり前に存在させたい」

BEPPU PROJECTとは、別府市を活動拠点とするアートNPOの名称で、国際的に活躍していたアーティスト山出淳也氏らが平成17年（2005）4月に発足させた。以降、別府のまちあるきガイド『旅手帖beppu』の出版のほか、市街地の空き店舗をリノベートする空き家再生事業や国内外のアーティストの活動紹介・移住支援など、様々な事業を展開。芸術や文化をテーマにした企画・イベントも主催しており、2023年にはアートを活用した取り組みが評価され、JR九州「九州観光まちづくりAWARD」大賞を受賞した。

街とアートをつなぐ仕組みづくりで活性化

元代表理事の山出氏は、公共性を重視した作品を発表してきた人物。「BEPPU PROJECTが街とアートのつなぎ手となり、別府の人が関わることで自分の街を誇れるようになれば」との思いで活動を続け、平成21年（2009）に別府というまち全体を舞台にした現代芸術祭「混浴温泉世界」を主催。このときBEPPU PROJECTは、主催者ではなく“実行委員の一員”という立場で参加した。近年では、別府市内で開催する市民文化祭「ベップ・アート・マンス」で、これまでアートに関わりのなかった人たちの参加も増え、温泉の街・別府に新しい活気が生まれている。

◈ ALTERNATIVE-STATE

2022年に始動したアートプロジェクト。1年に2作品ずつ、市内各地に国内外アーティストの作品を設置する。絵画やオブジェが街の景観に溶け込み、長い年月をかけて別府の街をアートで彩っていく。

浴衣の柄をモチーフにした大型壁画が目を引く※②

これまでの参加アーティスト

マイケル・リン、栗林隆、トム・フルーイン、サルキス

◈ ベップ・アート・マンス

子どもから大人まで楽しめるいろいろなイベントを開催

毎年別府市内で開催されるアートイベント。「文化」「芸術」に関することなら誰でも出展可能で、世界的なアーティストから地元の人まで多種多彩な顔ぶれが揃う。2024年で15回目を迎える。

問合せ ☎0977-22-3560 混浴温泉世界実行委員会（BEPPU PROJECT内）

※①トム・フルーイン：『Watertower 10: Beppu City, 2023』/ 撮影：山中 慎太郎(Qsyum!) ©混浴温泉世界実行委員会

BEPPU PROJECTが手がけた 街に溶け込むアートなスポット

2階にあるふすま絵。絵の前で記念撮影もOK

つげ工芸4列ブラシ2万9700円。一本一本職人が手作業で丁寧に仕上げたつげブラシ

別府駅周辺

せれくとべっぷ

SELECT BEPPU

センスのいいみやげが見つかる

「別府のまちのミュージアムショップ」をコンセプトとするセレクトショップ。2階にはアーティストのマイケル・リンのふすま絵を展示し、買う楽しみだけでなく、見て楽しむアートスポットとしても注目されている。

お座敷バッグ2万8300円。中袋は古い着物などを再利用している

別府てぬぐい1760円。海から見た別府が描かれた「別府八湯鳥瞰図」。SELECT BEPPU限定発売

西法寺通りにある築100年の長屋を改装して利用

☎0977-80-7226 住別府市中央町9-34 ⏰11～18時 休火・水曜（祝日の場合は営業）交JR別府駅から徒歩5分 Pなし MAP P121B2

東別府駅周辺

はまわきのながや

浜脇の長屋

宿泊できるアート作品

築100年以上経つ長屋を改築した「アートに泊まる」をコンセプトにした宿泊施設。「天空の庭」「白い箱」の2部屋がある。周辺には長屋続きの細い路地や紅殻が残る丸窓など昔ながらの風景も楽しむことができる。

☎0977-22-3560（BEPPU PROJECT）住別府市浜脇地区 ¥1泊素泊まり料金は問合せを 交JR東別府駅から徒歩5分 P2台 MAP P120C4

◀「白い箱」には、ろうそくの煤で感情の揺らめきを表現したラニ・マエストロの作品を展示 ▲「天空の庭」には、青い光に包まれた廣瀬智央のインスタレーションを展示

こんなところにも！ **BEPPU PROJECTのあしあと**

cities on the book

ONSENツーリズム実行委員会とBEPPU PROJECTが主体となり、別府市の48カ所に設置した琺瑯看板事業がcities on the book。街で丹念にフィールドワークを行い、史実に加え、その場所に住む人々の私的な思い出や物語も収集。調査をもとに想起された文書とイラストを「絵本」のようにレイアウトした琺瑯看板を制作し、対応する各通りに設置している。

竹瓦小路（MAP P121C2）に設置されている琺瑯看板

東町温泉

温泉文化を後世に伝え、様々な世代が集うコミュニティースペースとして共同浴場を活用しようという東町温泉の壁画プロジェクト。イラストレーターの網中いづる氏を迎え、市民との意見交換やワークショップの後、氏が壁画を完成。作品『重なるまちのきおく』が男湯・女湯で見られる。

☎0977-21-1267 住別府市浜脇1丁目16-1 ⏰5時30分～22時30分 休無休 交JR東別府駅から徒歩1分 P5台 MAP P120C4

大分の味が集結する別府のソウルフード

県内のおいしいものが大集結する街、別府。
ここで絶対に外せないソウルフードをチェック！

豊後牛サーロインステーキ
6300円（120g）
3cmはあろうかと思われる肉厚カットが魅力。スジ肉で作る絶品デミソースをかけて

そむりランチは海老フライとハンバーグの二品盛り1350円

別府駅周辺

ぶんごぎゅうすてーきのみせ そむり

豊後牛ステーキの店 そむり

肉汁あふれ出す技ありステーキ

脂が肉全体に回るようにと、しばらく常温でおいてから、鉄板で一気に焼き上げる。豊後牛のうま味を最大限に引き出すプロの技が存分に楽しめる。あふれる肉汁がたまらない。

☎0977-24-6830 住別府市北浜1-4-28笠岡商店ビル2階 ⏰11時30分～13時30分LO、17時30分～20時30分LO 休月曜、水曜の夜 交JR別府駅から徒歩5分 Pなし MAP P121B2

カウンター越しにシェフが肉を焼く姿が見られる

自社ビルの一角に店がある

別府港周辺

れすとらん とうようけん

レストラン東洋軒

大正15年のとり天発祥の店

1926年創業。とり天は創業者が中華風から揚げをヒントに、そぎ切りにした鶏肉を天ぷらにしたのがはじまりとされる。サクッとした衣の食感が魅力に。ほかに刀削麺も人気がある。

☎0977-23-3333 住別府市石垣東7-8-22 ⏰11～15時LO、17～21時LO 休第2火曜 交JR別府駅から亀の井バスで10分、船小路下車すぐ P60台 MAP P120B3

本家とり天定食
1430円
自家製ポン酢とからしを付けて味わう。テイクアウトもできる937円

洋食店としてスタートした老舗レストラン

速い潮流が
美味しい関サバ
関アジを生み出す

大分の佐賀関といえば関サバ（写真）、関アジを生み出す好漁場として知られる。地元ならではの新鮮な味が別府の店でも楽しめる。特に**海鮮いづつ**（☞P77）が鮮魚店直営店として人気に。

かぼすヒラメの活き造り
1尾 8800円
ほんのりかぼすが香る上品な味。湯引きした皮や肝と一緒に

とり天やだんご汁、希少な焼酎も揃う

別府駅周辺
きょうどりょうりいざかや こいのぼり

郷土料理居酒屋 こいのぼり

鮮度抜群！魚も肉もメニュー豊富

魚料理に肉料理、野菜も豊富な大分グルメ大集合のメニューが自慢。大将の目利きで上物が揃い、何を注文してもはずれなし。なかでも魚介のうまさと安さには定評がある。

☎0977-24-4888 住別府市駅前町5-10 🕒18時～23時20分LO 休日曜（日曜が祝日の場合は営業、月曜休）交JR別府駅から徒歩3分 P5台 MAP P121B2

別府港周辺
れいめん・おんめんせんもんてん こげつ

冷麺・温麺専門店 胡月

門外不出の秘伝スープで食す

昭和45年（1970）創業。あっさりした上品なスープ、そば粉と小麦粉で作る自家製麺はもちもち食感が人気。ネギがたっぷりのったネギ温麺850円なども。

☎0977-25-2735 住別府市石垣東8-1-26 🕒11時～17時30分（月曜は～16時）休火曜 交JR別府駅から大分交通バスで10分、南須賀入口下車、徒歩5分 P21台 MAP P120B3

冷麺（並盛）
750円
キャベツの自家製キムチに牛肉のチャーシューがのる

店先ののれんにはお店の歴史やこだわりが

だんご汁
800円
手延べ麺はもっちりとした食感。和菓子ではいしがき餅あんこ入り140円が人気

緑に囲まれた空間に立つ落ち着いた雰囲気の店

鉄輪周辺
べっぷあまみぢゃや

別府甘味茶屋

先代から受け継ぐ伝統の味のだんご汁

自家製餡やつきたて餅で作る和菓子から自家栽培の減農薬野菜を使った郷土料理まで提供するお店。大分名物、だんご汁は3種の味噌をブレンドしたコクのある味わいが特徴となっている。

☎0977-67-6024 住別府市実相寺1-4 🕒10時～20時30分 休不定休 交JR別府駅から亀の井バスで16分、別府総合庁舎前下車すぐ P25台 MAP P120B3

豊後牛とは県内で飼育された黒毛和牛のこと。なかでも肉質等級4以上を「おおいた和牛」とよびます。

別府で見つけたステキな空間 とっておきカフェでほっとひと息

体にやさしい素材を使ったスイーツや懐かしフードを味わいながら旅を振り返る…。そんな、ゆったりと過ごせるとっておきのカフェをご紹介します。

とっておきの理由
日当りのよい一軒家。この空間に合うよう、家具類はアンティーク店などで揃えたそう。

ケーキ二種盛り 495円

常時4～5種類揃うバータイプのケーキの中から2種が選べる（写真はイメージ）。

▲自家製ジャムやシロップを使った季節のフルーツソーダ各682円

鉄輪温泉周辺

ここちかふぇむすびの

ここちカフェむすびの

築100年超の趣ある建物でひと休み

明治40年（1907）築の元は医院だった建物を改装。手作りのスイーツや季節の果物を使ったドリンク、低温スチームで素材のうま味を引き出したランチ1650円や朝ごはん1320円などのヘルシーメニューを提供。地元作家を中心とした手作り雑貨も販売している。

☎0977-66-0156 住別府市鉄輪上1組 時7時30分～9時30分LO（土～火曜のみ）、11時30分～17時LO 休不定休 交JR別府駅から亀の井バスで21分、鉄輪下車、徒歩5分 P7台 MAP P121C3

▲すぐそばには、共同浴場・熱の湯（MAP P121C3）がある

手作り雑貨も豊富です

◀大分在住のキクチガマグチさん作。がま口1760円～

▼大分在住の羊毛フェルト作家＊fluri＊さん作の指人形1個825円～

▲店で使っている食器も販売している

さすがは別府！
喫茶店にも
温泉があります

全国から温泉ファンが集う**茶房たかさき**。敷地内にある自宅の温泉を開放していて、茶房（コーヒー600円、ケーキセット950円など）を利用すれば温泉が無料で利用できる。
☎0977-23-0592 MAP P120B4

カフェ・ダンディー 495円
アイスコーヒー 583円

セットにするとケーキとドリンクの合計額が50円引きに。

鉄輪温泉周辺

よはちろうかふぇあんどすいーつ

与八郎Cafe&Sweets

おしゃれなカフェでひと休み

鉄輪温泉エリアのいでゆ坂沿いに立つおしゃれなカフェ。長すぎるエクレアで人気の「パティスリー夢の樹」が手がける。1号店とは異なるラインナップで、見た目も素敵な手が込んだアートなケーキが10種類並んでいる。

☎0977-27-7002 住別府市風呂本1組 ⏰11～17時（カフェは～16時30分LO） 休火・水曜 交JR別府駅から亀の井バスで21分、鉄輪下車、徒歩3分 P2台 MAP P121C3

とっておきの理由
季節感あふれるスイーツ。見てるだけでワクワク。

野菜カレー 950円

サラダ、ヨーグルト付き。10種のスパイスと1時間以上炒めたタマネギを使ったやさしい味わい。

別府駅周辺

あほろーとる

アホロートル

無添加・手作りのやさしい味わい

昭和初期に建てられた元旅館の2階にある喫茶店。評判の野菜カレーをはじめ、自家製トマトソースを使ったナポリタン850円など懐かしのメニューが揃う。自家製スイーツやなごり雪650円などの甘味も人気。

DATA ☎0977-23-2876 住別府市楠町7-8 ⏰10～17時 休不定休 交JR別府駅から徒歩10分 Pなし MAP P121B2

とっておきの理由
土間や木製の階段など、空間全体から往時の香りが漂う。

ナポリタン850円
ホットコーヒー450円～

自家製のケチャップソースが決め手の昔ながらのナポリタン。

別府駅周辺

きっさ むむむ

喫茶 ムムム

路地裏に蘇ったオシャレな純喫茶

40年以上の時を刻んだ純喫茶をリノベーション。昭和の風情はそのままに、若き店主のセンスをちりばめた店内はモダンとレトロが共存する。パスタやオムライスなどが味わえる。

☎080-3119-5261 住別府市中央町1-27 ⏰9時30分～16時（ランチは11～15時、土曜は～17時） 休不定休 交JR別府駅から徒歩5分 P1台 MAP P121B2

とっておきの理由
アーチ型の飾り棚やガス灯など、昭和が薫る店内でまったり。

別府湾SA（☞P77）にあるアルテジオダイニング/B-speak cafeではPロール（☞P38、数量限定）がドリンクとともに味わえます。

職人の愛情がこもってます みやげにぴったりの手作り雑貨

老舗店が残る別府の街には、ものづくりに熱い情熱を注ぐ人がたくさんいます。
贈り物にもよし、自分用に連れて帰るもよしの、ぬくもりあふれる手作り雑貨をご紹介。

YUKAGO
1個2万7500円
「湯かご」をコンセプトにした四つ目崩し模様の竹かご。通勤や買い物など日常シーンにも使える。D

普段使いに取り入れたい

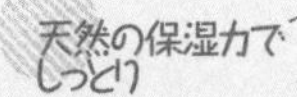
天然の保湿力でしっとり

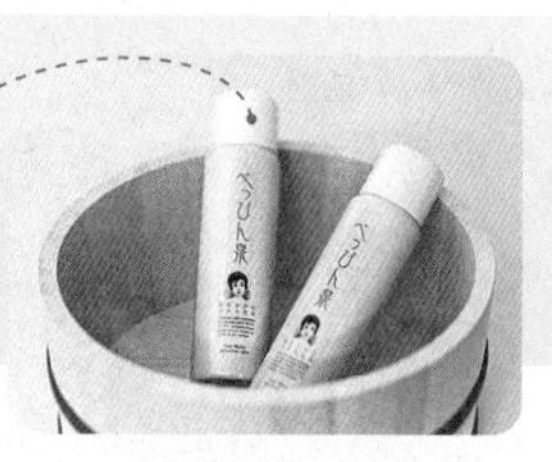

べっぴん泉
1本 80g 1370円
別府温泉水100%使用のミスト。浸透力バツグンで肌に潤いが。B

シンプルかつ上品なデザイン

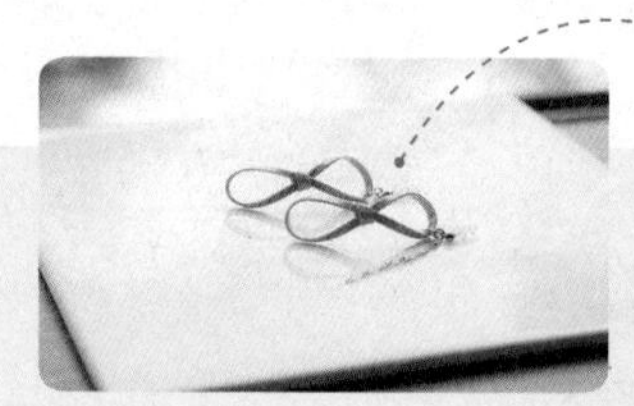

cotakeの竹のイヤリング たおやめ 5800円
女性の手のしなやかさを表現した竹細工のイヤリング。和装はもちろん、普段使いにもぴったり。E

別府八湯せっけん
1個 40g 900円
別府八湯それぞれの効能を生かした温泉水を使用している。B

全部試してみたい!

使い勝手も抜群

オーバルトレイ
1個7800円
竹ならではの耐久性と軽さを備えたトレイ。普段使いから特別な日のおもてなしまで。D

別府駅周辺
あかしぶんしょうどう

明石文昭堂 A

昭和2年（1927）創業の老舗文具店。オリジナルそえぶみ箋440円が人気。

☎0977-22-1465 住 別府市駅前町11-10 🕒10時～18時30分（土曜、祝日は～18時）休 日曜 交 JR別府駅から徒歩2分 P 12台 MAP P121A2

別府駅周辺
えっちびようしつ

エッチ美容室 B

昭和7年（1932）創業。現社長が海外で学んだ美容知識を生かし、別府ならではの化粧品を開発している。

☎0977-22-4005 住 別府市北浜2-1-28 🕒9～18時 休 月曜、第3火曜 交 JR別府駅から徒歩5分 P なし MAP P121B1

松原町
べっぷつげこうげい

別府つげ工芸 C

大正8年（1919）から続く別府の伝統工芸つげ細工の工房。隣接したショップには新感覚のつげアイテムも。

☎0977-23-3841 住 別府市松原町10-2 🕒8時30分～19時 休 無休 交 JR別府駅から徒歩20分 P 8台 MAP P120C4

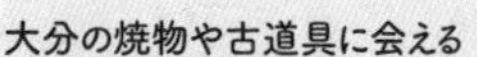

大分の焼物や古道具に会える

地元の手仕事作家が手がける焼物や竹細工の店、SPICA。日田の焼物、小鹿田焼のカップ1760円など。ほかにアクセサリーや衣類なども販売。
☎090-9476-0656 MAP P120B4

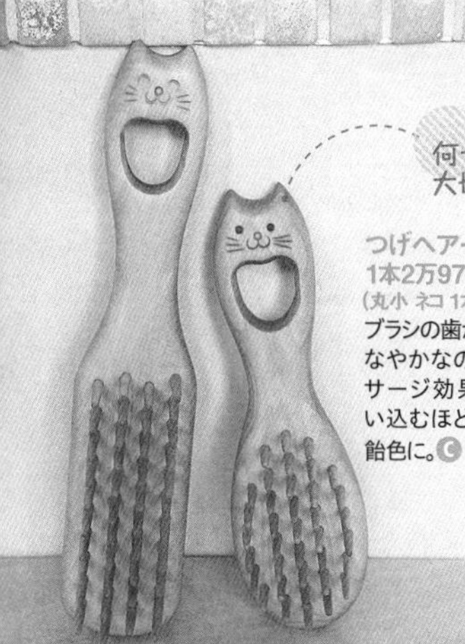

何十年も大切に使いたい

つげヘアーブラシ 1本2万9700円～
(丸小 ネコ 1本3万250円～など)
ブラシの歯が硬くしなやかなのでマッサージ効果も。使い込むほど美しい飴色に。C

SHABBY CHIC。のシェーカーボックス 4400円～
アメリカのシェーカー教徒が創った木製品の一つ。シンプルな形状が美しい。F

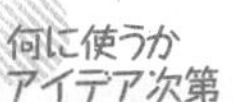

ナチュラルな竹の美しさ

cotakeの竹のピアス赤心 5800円
竹ひごの重なりが美しく、使い込むと飴色に変わっていく。色は白、ピンク、紺の3種類。E

ユニークな名前も楽しい

明石文昭堂の万年筆用インク 1瓶 2200円
全15色のオリジナルインク。夕焼けのトワイライト、海をイメージしたBEPPUベイブルー。A

SHABBYCHIC。のタイルトレー S 2970円、L 3520円
おしゃれなタイルトレーは、耐熱なので、鍋敷きとしても使える。F

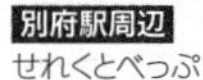

別府駅周辺
せれくとべっぷ
SELECT BEPPU D

BEPPU PROJECT (☞P66) の事業の一つとして築100年の長屋を改装して利用。別府にゆかりのあるアート作家や職人の作品を販売。(☞P67)

別府駅周辺
こたけ
cotake E

竹工芸の職人でもあるオーナーがオープンした店。若手の作品を販売・展示している。工房、カフェ、貸切風呂も併設。
☎0977-51-4396 住別府市弓ケ浜町2-28 ⏰10～17時 休日曜、不定休あり 交JR別府駅から徒歩10分 P2台 MAP P120B3

明礬温泉
しゃびーしっく
SHABBY CHIC。F

センスのよい生活雑貨が評判の店。配送OKのオーダーメイド家具1点5000円～の注文も受け付けている。
☎0977-66-9872 住別府市明礬5-2 ⏰10～18時 休日曜 交JR別府駅から車で15分 P6台 MAP P120A2

別府の竹細工が工芸品として名を知られるようになったのは、室町時代に行商用の籠が生産されるようになったころからだそうです。

品揃え豊富&駅チカ店でお持ち帰りしたい味みやげ

おみやげを買い忘れても大丈夫。旅の終わりに便利なみやげ処を紹介します。別府の定番スイーツから食卓に並ぶ郷土の味まで、おいしいみやげが大集合。

みんなで食べたいスイーツみやげ

ざびえるほんぽのざびえる
ざびえる本舗のざびえる
6個入り 745円
かつて豊後の国を訪れたフランシスコ・ザビエルの功績をたたえて作られた、和洋折衷の人気菓子。バター風味の生地と純和風の白餡にラムレーズンがほのかに香る。B

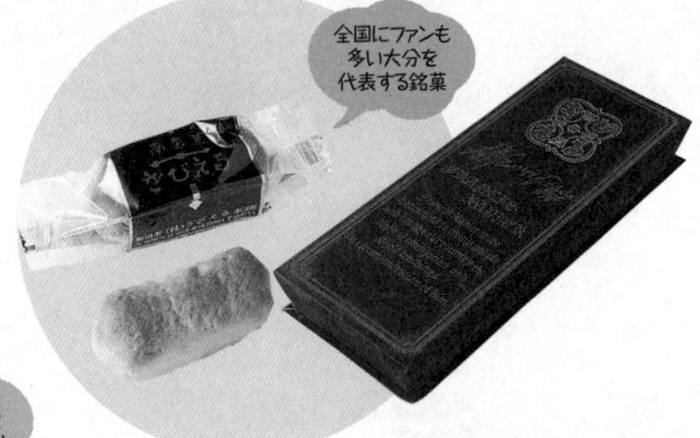

ぼんまるせのおおいたかぼすらんぐどしゃ
ボンマルセのおおいたかぼすラングドシャ
10枚入り 972円
大分県産特産のかぼす果汁を使用した、サクサクのラングドシャ。かぼすのさわやかな風味が、口の中に広がり甘酸っぱさも格別。A

ぼんまるせのかぼすごーふれっと
ボンマルセのかぼすゴーフレット
8枚入り 540円
大分県特産のかぼすを練り込んださわやかな風味のゴーフレット。かぼすクリームの甘さも控えめで食べやすい。A

おかしのきくやのゆふいんそうさくかし ぷりんどら
お菓子の菊家のゆふいん創作菓子 ぷりんどら
1個 237円
阿蘇小国のジャージー乳から作られた大きなプリンをまるごとサンドした和洋折衷のどら焼。カラメルのほろ苦さとふわふわパンケーキのようなどら生地がマッチ。B

別府みやげの元祖
琥珀色に輝く
ざぼん漬けを

ざぼん（文旦）漬け専門店三味(さんみ)ざぼん店(てん)。昭和20年（1945）の創業時から受け継ぐ蜜で作るコクの深い琥珀とあっさり味のべっこう、砂糖をまぶした白雪の詰合せ極上ざぼん漬3種1296円が好評。
☎0977-23-1664 MAP P121B2

食卓を賑わすグルメみやげ

はっぽうどうのぶんごつくだに、しいたけのり、からししいたけ
八宝堂の
豊後佃煮、椎茸のり、からし椎茸
100g 各756円

水飴やハチミツなどを使った無添加、無砂糖の秘伝のタレで炊き込んで作るシイタケの佃煮。別府の醤油や味噌麹などを使用し、まろやかなうま味が際立っている。B

にっこうしょくひんのたけかわだんごじる
日光食品の
竹皮だんご汁
1人前756円

小麦粉で作った平たい麺を野菜や豚肉などと一緒に汁で煮込む、大分の郷土料理だんご汁。このセットには麺と味噌ツユが入り、だんご汁が気軽に作れる。A

やつしかしゅぞうのかぼすりきゅーる
八鹿酒造の
かぼすリキュール
25度 100mℓ 360円

大分県産の天然カボス果汁がたっぷり入ったリキュールは甘酸っぱく風味豊かな味わい。アルコール25度と高めなので、ソーダや水で1～3倍に割るのがおすすめ。A

こちらでおみやげ探し

別府駅
ぼんまるせ
ボンマルセ A

オリジナル商品が並ぶ

JR別府駅の構内にあるみやげ店。独創的でユーモアあふれる別府みやげを数多く発案し販売する。スイーツから地酒、雑貨まで幅広く取り扱っている。
☎0977-73-9540 住別府市駅前町12-13 ⏰8～20時 休無休 交JR別府駅構内(改札前) Pなし MAP P121A1

別府駅
べっぷめいひんぐら
別府銘品蔵 B

定番みやげが勢揃い

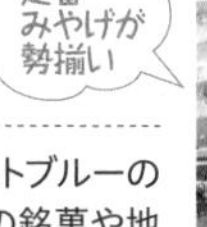

海地獄をイメージしたコバルトブルーの店内には、別府や大分県内の銘菓や地酒、温泉グッズなどがバリエーション豊富に揃う。
☎0977-23-3653 住別府市駅前町12-13 ⏰8～20時 休無休 交JR別府駅構内(駅西口) Pなし MAP P121C1

港駅 別府交通センター（MAP P120B3）では、郷土料理店や大分県をはじめとする九州各地の特産品を多数取り揃えています。

ココにも行きたい

別府のおすすめスポット

鉄輪温泉

べっぷかんなわ じごくおんせんみゅーじあむ

別府鉄輪 地獄温泉ミュージアム

温泉を学ぶアカデミック・エンターテインメント施設

雨水が地中で温泉になるまでの過程を追体験して学べる施設。歴史や自然など4つのゾーンに分かれている。屋外には湯けむりが立ち上る庭園もあり、館内のカフェではその庭園を眺めながらひと休みもできる。DATA☎0977-84-7858 住別府市鉄輪321-1 ¥入館1500円 ⏰9～18時（最終入場17時30分）休不定休 交JR別府駅から車で20分 Pなし MAP P121B3

鉄輪周辺

ゆけむりてんぼうだい

湯けむり展望台

湯けむり上がる街並みを一望

NHKが公募した「21世紀に残したい日本の風景」で全国第2位となり、国の重要文化的景観にも選ばれた風景を一望できる。昼夜ともに絶景が楽しめる。DATA☎0977-21-1128(別府市観光課) 住別府市鉄輪東8組 ¥無料 ⏰8～21時 休無休 交JR別府駅から亀の井バスで20分、湯の川下車、徒歩10分 P8台 MAP P120B2

観海寺温泉

べっぷらくてんち

別府ラクテンチ

山の上にある九州最古の遊園地

昭和4年（1929）の創業当時から活躍するケーブルカーで頂上へ向かう。園内には温泉も。DATA☎0977-85-8888 住別府市流川通り18 ¥入園1300円 ⏰9時30分～17時（季節変動あり）休火曜(冬・春・夏休み、GW、祝日は営業)、1月中旬～2月末は冬期休園あり 交JR別府駅から亀の井バスで10分、流川12丁目下車、徒歩10分 P700台（有料）MAP P120B4

鉄輪温泉

おおいたかおりのはくぶつかん

大分香りの博物館

世界に一つだけのオリジナル香水を

紀元前5世紀の香油瓶から現代の香水まで、世界中から収集された香水コレクションを展示。香りの歴史なども学ぶことができる。オリジナル香水が作れる調香体験（所要50分、要予約、30㎖2800円～）も。DATA☎0977-27-7272 住別府市北石垣48-1 ¥入館700円 ⏰10～18時（体験は予約制）休第3木曜※HPにて要確認 交JR別府駅から車で12分 P26台 MAP P120B3

大分市

おおいたまりーんぱれすすいぞくかん うみたまご

大分マリーンパレス水族館「うみたまご」

体験型のお楽しみが満載の水族館

動物とのふれあいを大切にした水族館。ダイナミックなイルカショーは1日に各2回ずつ開催される。ヒトデなど水槽の中の生き物に触れることができるタッチプールも人気。DATA☎097-534-1010 住大分市高崎山下海岸 ¥入館2600円 ⏰9～17時 休冬期に3日間休館日あり 交JR別府駅から大分交通バスで15分、高崎山自然動物園下車すぐ P800台（有料）MAP P120C4

イルカがジャンプするたびに大歓声が上がる

照明にもこだわった幻想的な空間

大分市

たかさきやましぜんどうぶつえん

高崎山自然動物園

サルの親子のほほえましい姿も

約1000頭の野生のニホンザルが2つの群れに分かれて園内で生活している。30分一度のエサやりの時間に多数のサルが集まる光景は圧巻。DATA☎097-532-5010 住大分市神崎3098-1 ¥入園520円 ⏰9～17時（最終入園16時30分）休無休 交JR別府駅から大分交通バスで15分、高崎山自然動物園下車すぐ P930台（有料）MAP P120C4

別府駅周辺

ちょろまつ

チョロ松

別府名物「かも吸（すい）」の元祖店

別府の夜のシメの一杯は、ラーメンではなくかも吸。鴨肉や野菜、豆腐を入れたうま味たっぷりのスープを土鍋で炊いたもので、今や別府の居酒屋などでも見られるメニューだが、チョロ松では昭和30年ごろから提供。かも吸1300円。DATA☎0977-21-1090 住別府市北浜1-4 ⏰17時30分～22時30分LO 休水曜、第3火曜 交JR別府駅から徒歩5分 Pなし MAP P121B1

column

達人ガイドと夜の竹瓦路地裏散歩へ

温泉情緒漂う夜の別府駅周辺を、流しの二人が歌いながら楽しく案内してくれる。DATA☎0977-23-4748（平野資料館）¥参加料1000円（ガイド代込み、記念レトロ絵葉書付き）⏰休第2、4金曜に開催。20時30分から約70分（コースは日によって異なる）※大雨、荒天時は中止 交竹瓦温泉（☞P60）前集合 Pなし MAP P121C2

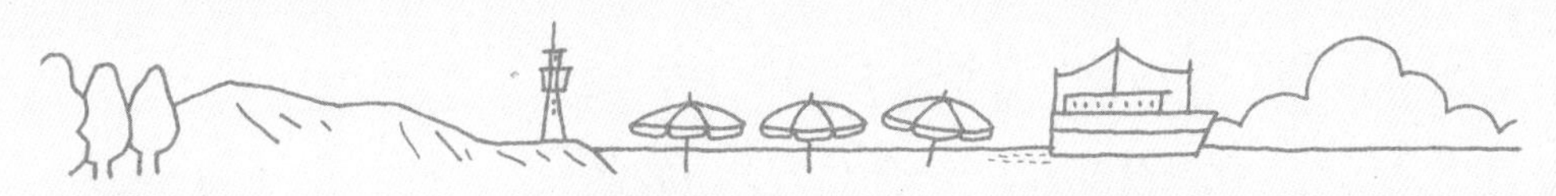

別府駅周辺

海鮮いづつ
(かいせんいづつ)

新鮮な魚をリーズナブルに味わう

鮮魚店が営む食事処。九州近海でとれる天然ものにこだわり、店主自ら市場で仕入れる魚は鮮度抜群。関サバの刺身一人前3300円～(写真は二人前)と価格も手頃。予約して訪れたい。DATA☎0977-22-2449 住別府市楠町5-5 ⏰11時～14時30分LO、18～21時LO 休月曜(祝日の場合は翌日) 交JR別府駅から徒歩10分 Pなし MAP P121C2

別府駅周辺

お食事処 とよ常本店
(おしょくじどころ とよつねほんてん)

サクサク&ジューシー天丼に舌鼓

創業90年を超える老舗。特大のエビ天2本と、ナスやカボチャなどの野菜天が入るボリューム満点の天丼は赤だし付きで950円。天丼にかかるごま油風味の甘いタレは350円でおみやげ用に販売もしている。DATA☎0977-22-3274 住別府市北浜2-12-24 ⏰11～20時LO 休火・水曜 交JR別府駅から徒歩7分 P28台 MAP P121C1

別府駅周辺

ぎょうざ専門店 湖月
(ぎょうざせんもんてん こげつ)

カウンター席のみ、路地裏の名店

昭和22年(1947)創業の老舗餃子店。メニューは焼き餃子1人前15個600円と瓶ビール600円(ノンアルもあり)のみ。餃子は手作りの薄い皮がパリッとして香ばしい。自家製ラー油とタレでどうぞ。DATA☎0977-21-0226 住別府市北浜1-9-4 ⏰14～19時(売り切れ次第終了) 休月～木曜 交JR別府駅から徒歩7分 Pなし MAP P121B1

別府駅周辺

コトリカフェ
(ことりかふぇ)

フルーツ盛り盛りの豪華スイーツ

パンケーキのようでありシュー生地を食べているようでもある不思議な「ダッチベイベー」やアメリカンワッフルをボウル状に焼き上げるスイーツが人気。オーナーは別府の「温泉名人」としても知られている。DATA☎080-4652-9428 住別府市光町6-14 ⏰12～18時(17時LO) 休月曜、第3日曜、ほか臨時休業あり 交JR別府駅から徒歩10分 P2台 MAP P120B4

別府駅周辺

野田商店
(のだしょうてん)

はちきれんばかりの太巻が人気

「べっぷ駅市場」内で、ひときわ人だかりができる惣菜店。名物は1日に500本売れることもあるという巻ずし420円。玉子焼の甘みとかんぴょうの食感、大葉の香りが絶妙。夕方には売り切れてしまうことが多いのでお早めに! DATA☎0977-22-5520 住別府市中央町6-22 ⏰8～17時(売り切れ次第終了) 休火曜 交JR別府駅から徒歩3分 Pべっぷ駅市場共同駐車場利用 MAP P121A2

別府駅周辺

べっぷ駅市場
(べっぷえきいちば)

レトロな賑わいの別府市民の台所

JR別府駅南側の高架下に約15店舗が軒を連ねる市場。高架下にある4つの商店街のうちの一つ。幅2mほどの狭い路地に、魚屋や惣菜屋などがずらりと並び、昔ながらのたたずまい。お店の人との掛け合いも楽しい。DATA☎0977-22-1686(JR九州ビルマネジメント株式会社別府支店) 住別府駅南側の高架下 ⏰休店舗により異なる 交JR別府駅から徒歩3分 P20台 MAP P121A2

別府駅周辺

冷乳果工房 GENOVA
(れいにゅうかこうぼう じぇのば)

創業44年のアイスクリーム店

濃厚なジャージー牛乳、フレッシュなフルーツをたっぷり使って作られるこだわりのアイスクリームはシングルカップ550円～。店頭には素材にこだわったオリジナルアイスクリームが常時22種も並んでおり、観光客や地元の人で賑わっている。DATA☎0977-22-6051 住別府市北浜1-10-5 ⏰12～21時 休水曜 交JR別府駅から徒歩5分 Pなし MAP P121B1

別府IC周辺

別府湾SA「玄林館」
(べっぷわんさーびすえりあ げんりんかん)

サービスエリアの新しい形

山荘無量塔(☞P45)がプロデュースする従来のサービスエリアの雰囲気とは異なるハイセンスな空間。コーナー上りと下りをつなぐ遊歩道からは別府湾を見渡す絶景が一望でき、その途中に点在するカフェレストラン、そば処などへも自由に行き来ができる。DATA☎0977-66-1260 住別府市大字内竈 ⏰7～20時(施設により異なる) 休無休 交東九州自動車道別府湾スマートICからすぐ P上り86台、下り103台 MAP P120A2

別府湾を一望するパノラマビューが楽しめる

軽食ラウンジでは地元の素材を使った料理を手軽に堪能できる

別府観光を満喫した後は、風呂自慢の極上宿で過ごしましょう

別府の街並みや別府湾を望む絶景風呂、美肌の湯、岩盤浴など、
日頃の疲れを吹き飛ばし、身も心も癒やされるリラックスタイムを。

ここでリフレッシュ

別府を一望できる大パノラマの天空露天風呂は、立ち寄り利用も可能2600円〜。

明礬温泉

えーえぬえーいんたーこんちねんたるべっぷりぞーとあんどすぱ

ANAインターコンチネンタル別府リゾート&スパ

温泉と洗練されたもてなしで極上の休日を

別府から大分市まで一望できる高台に立つ。インフィニティプールや客室から望む夜景や朝焼けの美しさは格別だ。レストラン&バー、ラウンジといった館内の施設も充実している。

☎0977-66-1000 住別府市鉄輪499-18 交JR別府駅から車で20分 P140台 室全89室 ●2019年開業 MAP P120A2
●風呂：内湯あり 露天あり ●泉質：ナトリウム塩化物泉 ●立ち寄り湯あり

1広々とした客室は全89室。望む景色も素晴らしい 2大浴場には檜(写真)と石造りの2種類の内風呂が。露天風呂も併設 3オールデイダイニング「エレメンツ」では多彩な料理を提供する

CHECK
室料
6万9000円〜
時間
IN15時 OUT11時

別府駅周辺

たけとつばきのおやど　はなべっぷ

竹と椿のお宿 花べっぷ

ふんわりとしたやさしさに満ちた宿

ピンク色の椿「別府」になぞらえ命名された宿。館内では素足がいちばん。畳や竹フローリングが敷かれた床が足に心地よい。美と健康を意識した料理や美肌の湯、エステなどのうれしいサービスもあり。

☎0977-22-0049 住別府市上田の湯町16-50 交JR別府駅から徒歩6分 P15台 室全30室 ●2012年開業 MAP P120B3 ●風呂:内湯あり 露天あり ●泉質:ナトリウム炭酸水素塩泉 ●立ち寄り湯なし

ここでリフレッシュ

女湯は高濃度酸素風呂。マイクロバブルの気泡が毛穴の汚れを除去し保湿効果も。

CHECK
1泊2食付き料金
平日2万3350円～
休前日2万5550円～
時間
IN15時 OUT11時

1 畳敷きのラウンジ 2 夕食には自家農園でとれた野菜など地元の素材がふんだんに使われる

1 檜の香りに包まれる「信」の内湯。檜のベッド付き 2 ミシュランガイドで最上級の快適評価を受賞。写真は「斐」のリビング・ベッド

ここでリフレッシュ

客室「斗」の石檜の内湯。低温岩盤浴が付く。各客室の湯の造りが異なり大きな魅力に。

CHECK
室料
平日1万7600円～
休前日2万350円～
時間
IN15時 OUT11時

別府駅周辺

しょうせいのやど　しんあん

匠晴の宿 心庵

「泊食分離」を提案するニュースタイルの宿

客室は全室離れのメゾネットタイプ。源泉かけ流しの温泉付きでゆっくりくつろげる。食事は外食もできるし、ケータリングや持込みも可能と、自分でアレンジできる新しいスタイルの宿だ。

☎0977-75-8400 住別府市弓ヶ浜町3-10 交JR別府駅から車で5分 P13台 室全13室 ●2016年開業 MAP P120B3 ●風呂:内湯あり 露天あり ●泉質:ナトリウム炭酸水素塩泉 ●立ち寄り湯なし

別府温泉

あまね りぞーと せいかい

AMANE RESORT SEIKAI

全客室が露天風呂付き&オーシャンビュー

ゆったりした「晴れの棟」、離れ風客室「晴れの棟展望離れ」、モダンで機能的な「海の棟」、リゾート感あふれる「空の棟」など宿泊棟が揃う。全客室源泉かけ流しで、心行くまで温泉を堪能できる。

☎0977-66-3680 住別府市上人ヶ浜町6-24 交JR別府駅から車で15分 P70台 室全60室 ●2019年開業 MAP P120B2 ●風呂:内湯あり 露天あり ●泉質:塩化物泉 ●立ち寄り湯あり

ここでリフレッシュ

海抜0mの波打ち際にある海浜露天風呂。潮騒を聞きながら温泉を堪能できる。

CHECK
1泊2食付き料金
平日2万5300円～
休前日2万7500円～
時間
IN15時 OUT11時

1 会席料理、海鮮料理、ビストロの3カ所の食事処から選べる 2「空の棟」のジャグジー付ジュニアスイート

日本随一の温泉地・別府は個性豊かな温泉宿が揃います

絶景や効能豊かな温泉、客室自慢、郷土料理を気軽に楽しめる宿など、自分好みの宿を選びましょう。

ここが自慢

展望露天風呂「宙湯」では海抜約250mからのパノラマを楽しめる

1宙館デラックス（一例）2和洋中の料理が楽しめる「TERRCE & DINING SORA」3大展望露天風呂「棚湯」では晴れた日にははるか四国まで望める

CHECK
1泊2食付き料金
平日2万9500円～
休前日3万9500円～
時間
IN15時 OUT11時

観海寺温泉　（要予約）

べっぷおんせん すぎのいほてる

別府温泉 杉乃井ホテル

スタンダードとエグゼクティブルーム 多彩な客室で温泉を堪能する

観海寺温泉でも圧巻の眺めを誇るカジュアルな虹館から開放感あふれる宙館（そらかん）まで客室は多彩。宙館では、別府の魅力を壮観な眺めとともに楽しめる。

☎0977-24-1141 住別府市観海寺1 交JR別府駅から車で10分 送迎あり P900台 室全554室 ●1944年開業 MAP P120B3 ●風呂：内湯あり 露天あり●泉質：ナトリウム塩化物泉 ●立ち寄り湯あり

別府温泉

かい べっぷ

界 別府

賑やかな演出の館内には憩いの空間が満載

日本一の源泉数と湧出量を誇る別府温泉に開業。賑やかな温泉街を彷彿させる館内や豊後絞りをあしらった客室など、ご当地感あふれる空間が魅力。時の移ろいによるドラマチックな表情の変化を楽しめる。

☎050-3134-8092（界予約センター）住別府市北浜2-14-29 交JR別府駅から徒歩10分 P62台 室全70室 ●2021年7月開業 MAP P121C1 ●風呂：内湯あり 露天あり ●泉質：ナトリウム-塩化物・炭酸水素塩泉 ●立ち寄り湯なし

ここが自慢

足湯や手湯、別府ならではのご当地体験が開催される「湯の広場」

CHECK
1泊2食付き料金
平日3万2000円～
休前日3万8000円～
時間
IN15時 OUT12時

1全室オーシャンビュー。目の前には別府湾が広がる 2大分の山海の幸をふんだんに取り入れた特別会席

源泉かけ流し　部屋食　エステあり　禁煙ルームあり　大浴場あり　ひとり宿泊OK　インターネット可

鉄輪温泉

ゆかいりぞーとぷれみあむ ほてるふうげつ

湯快リゾートプレミアム ホテル風月

別府湾が一望できる 眺望バツグンの屋上露天風呂

別府湾や温泉街が見渡せる絶好の地に立つ温泉宿。天然温泉が自慢の大浴場や見晴らしのよい屋上露天風呂など多彩な温泉が揃う。大分県の食材を使用したバイキングも好評。

☎0570-550-078 住別府市北中1組 交大分東九州自動車道別府ICから約4km P130台 室全96棟 ●2021年開業 MAP P121C4 ●風呂：内湯あり 露天あり●泉質：ナトリウム-塩化物泉●立ち寄り湯あり

ここが自慢

別府湾や別府の街並みが眼下に広がる開放的な屋上露天風呂

CHECK
1泊2食付き料金
平日1万3423円～
休前日1万5533円～
時間
IN15時 OUT11時

1温泉街の風景が見下ろせる客室 2じんわりと温かい砂足湯に入って疲労回復

明礬温泉

もりのゆりぞーと

杜の湯リゾート

B&Bで気軽に楽しめる温泉リゾート

高台にある温泉リゾート。水着で楽しむ庭園露天風呂「空の湯」が人気に。宿泊者専用の大浴場「照の湯」にも、露天風呂を備える。

☎0977-85-7000 住別府市鶴見照湯1413-13 交JR別府駅から亀の井バスで21分、照湯下車すぐ 日送迎あり P90台 室全63室 ●2018年開業 MAP P120A3 ●風呂：内湯あり 露天あり●泉質：酸性硫化水素泉●立ち寄り湯あり

※天候等の理由により、庭園露天風呂「空の湯」の営業ができない場合あり

ここが自慢

庭園露天風呂「空の湯」は水着着用で楽しめる。水着(有料)はレンタルも可能

CHECK
1泊朝食付き料金
平日1万500円～
休前日1万1500円～
時間
IN15時 OUT11時

1良質なリネンが心地よく、枕は2タイプから選べる 2朝食には洋食を中心としたバイキングも

別府温泉

くつろぎのおんせんやど やまだべっそう

くつろぎの温泉宿 山田別荘

ノスタルジックなくつろぎの温泉宿

駅から至近でありながら、静かな宿。昭和5年(1930)に建てられた個人の別荘宅を活用し、宿として開業。和洋折衷のノスタルジックな雰囲気。古き良き時代の別府の趣が堪能できる。

☎0977-24-2121 住別府市北浜3-2-18 交JR別府駅から徒歩8分 P8台 室全10室 ●1950年開業 MAP P121B1 ●風呂：内湯あり 露天あり ●泉質：ナトリウム炭酸水素塩泉、塩化物泉 ●立ち寄り湯あり

ここが自慢

左官職人による漆喰レリーフが彩るロビーなど、建築当時の面影が残り、館内は時が止まったかのよう

CHECK
1泊素泊まり
平日8750円
休前日1万1750円
時間
IN15時 OUT10時

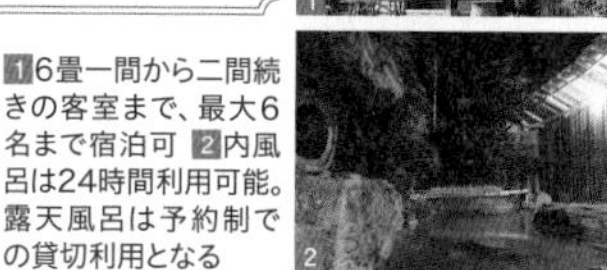

16畳一間から二間続きの客室まで、最大6名まで宿泊可 2内風呂は24時間利用可能。露天風呂は予約制での貸切利用となる

ココミルおさんぽ

長湯温泉

～のどかな温泉でリフレッシュ～

古くから湯治場として栄えた温泉地。美容や健康に期待ができる炭酸泉が楽しめます。

●別府からのアクセス

電車:別府駅からJR日豊本線特急で10分、大分駅下車。駅前から竹田市コミュニティバス長湯車庫行きに乗り換え、長湯まで1時間45分

車:JR別府駅から県道52、30号経由で43km

問合せ☎0974-75-3111(長湯温泉観光案内所)

長湯温泉はココにあります！

▶建築家・藤森照信氏によるアートな建物が目を引く

◀32度と源泉がぬるいため、泡付きがよい

ラムネ温泉館

日本屈指のシュワシュワ炭酸泉

日本有数の数値を誇る高濃度の炭酸泉。浸かればすぐに全身に泡がつき、シュワッと弾ける。優れた血行促進効果により、肌のくすみやむくみがとれ、美容効果も期待できるとか。

☎0974-75-2620 住竹田市直入町長湯7676-2 ¥500円 ⏰10～22時 休第1水曜、1月と5月は第2水曜 交バス停長湯から徒歩10分 P30台

◀オリジナルグッズも豊富。ハンドタオル1枚300円

湯布院へ / 長湯温泉観光案内所 / 道の駅・ながゆ温泉 / 長湯 / 御前湯 / 長湯バイパス / 大丸旅館 / 久住、万象の湯へ / 芹川 / N 100m / 県道412号へ

◀素泊まり7950円～。客室は8室

万象の湯

芹川のせせらぎを聞きながらのんびり湯治

湯治利用ができる湯宿。温泉棟には棚湯方式の露天風呂や温泉成分の結晶が浮かぶ不思議な水風呂があり、湯めぐりすることで温泉効果がアップする。

☎0974-75-3331 住竹田市直入町長湯3264-1 ⏰温泉棟10～20時 休無休 交バス停桑畑から徒歩1分 P40台

▼棚湯方式の露天風呂。温泉棟は日帰り利用も可能。レストラン棟も併設する

茶房 川端家

川沿いテラスでのんびりくつろぐ

老舗宿・大丸旅館が営む芹川沿いの喫茶。名物の温泉粥は、お宿の朝食でも人気の逸品。温泉水で炊き上げる。

☎0974-75-2272 住竹田市直入町長湯7993-2 ⏰8～16時 休不定休 交バス停長湯から徒歩3分 P大丸旅館駐車場利用

▲温泉粥650円。注文を受けて炊き上げる(要予約)

お泊まりするなら

B・B・C長湯 長期滞在施設と林の中の小さな図書館

クヌギ林の中のロングステイ向けプチホテル。ミニキッチンやネット環境が整う。温泉は大丸旅館が無料、ラムネ温泉館が100円で利用可。

☎0974-75-2841 住竹田市直入町長湯7788-2 ¥1泊朝食付き平日・休前日ともに5170円～ ⏰IN14時、OUT10時 交バス停長湯から徒歩7分 P10台

欧風のおしゃれな雰囲気。林を望むテラス付き

緑あふれる黒川・小国郷で
のんびり湯めぐり楽しみましょう

カラコロ下駄を鳴らして湯めぐりを楽しむ黒川温泉、
杖立温泉の箱蒸し湯や秘密にしたい小国郷の離れの露天・・・
魅力的な温泉が集まる黒川・小国郷エリアでは
お気に入りのお湯を見つけてのんびりするのが正解です。

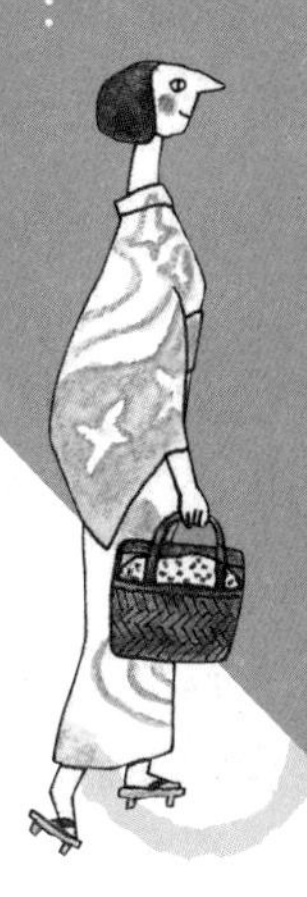

木々があふれる黒川温泉街。
浴衣に着替えて散策を楽しもう

魅力あふれる温泉が集まる

黒川・小国郷

くろかわ・おぐにごう

その名を全国に轟かすブランド温泉地、黒川をはじめ、個性的な温泉地が点在する熊本屈指の温泉郷。「日本の原風景」ともいわれるのどかな風景も魅力。九州では珍しく冬は雪見露天が楽しめることも。

たっぷり楽しむ 黒川・小国郷1泊2日プラン

憧れの黒川温泉にお泊まりして、翌日に小国郷を巡る欲ばりプラン。1日目の黒川では浴衣でさんぽ、2日目は小国郷で自然を満喫するドライブを楽しもう。

1日目

- **大分自動車道 湯布院IC** START
  - 車45km

黒川温泉

- 11:30 **風の舎** …P87、93
  - 徒歩1分
- 12:00 **とうふ吉祥** …P90
  - 徒歩2分
- 13:30 **ふくろく** …P92
  - 徒歩2分
- 14:30 **白玉っ子甘味茶屋** …P91
  - 徒歩3分
- 15:30 **和風旅館 美里** …P89
  - 徒歩5分
- 17:00 **いこい旅館** …P88

2日目

- 10:00 **いこい旅館** …P88
  - 車5.3km
- 10:15 **旅館 山河** …P89
  - 車16km

小国郷

- 11:45 **岡本とうふ店** …P96
  - 車13km
- 13:30 **Tea room 茶のこ** …P97
  - 車8km
- 15:00 **鍋ヶ滝公園** …P96
  - 車12km

杖立温泉

- 16:00 **純和風旅館 泉屋** …P97
  - 車27km
- **大分自動車道 日田IC** GOAL

美人湯と名高い黒川温泉の宿のオリジナルグッズ

黒川・小国郷はココにあります！

～黒川・小国郷 はやわかりMAP～

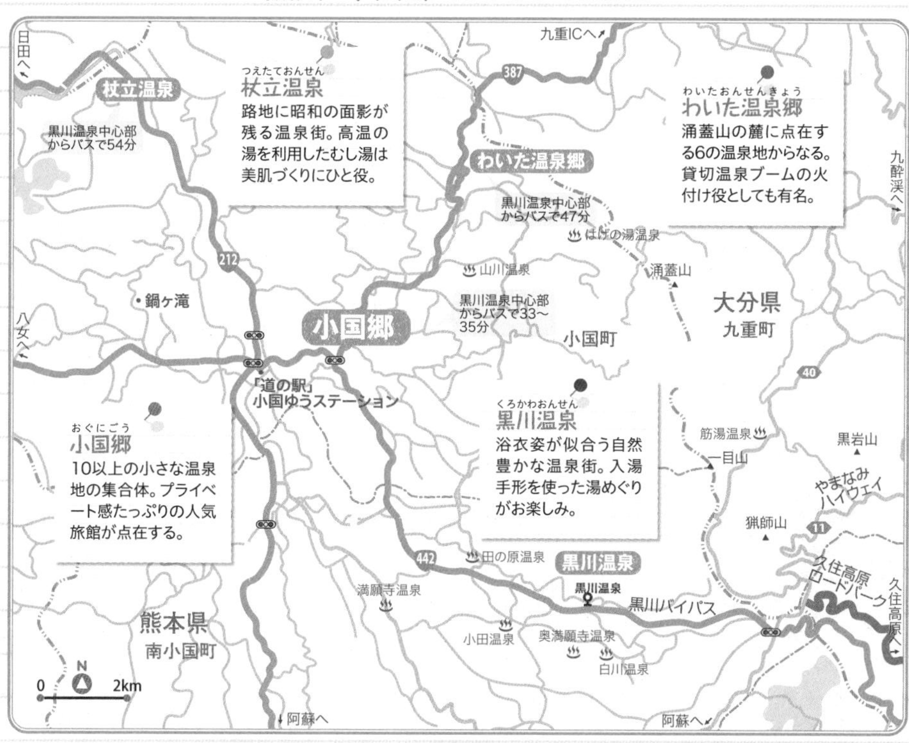

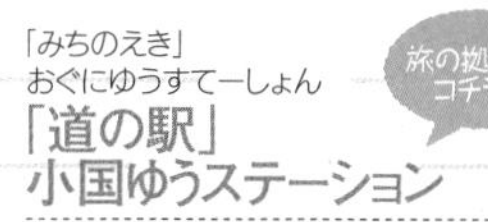

「みちのえき」
おぐにゆうすてーしょん

「道の駅」小国ゆうステーション

全面ミラーガラス張りの建物が目を引く町のシンボル的存在で、小国を起点とするバスの発着所。館内は小国杉をふんだんに使ったぬくもりある空間。2階はエリアの観光情報が手に入るインフォメーションセンター、1階はパンやスイーツなど、町内の人気ショップの商品や特産品を販売している。

☎0967-46-4111 住小国町宮原1754-17 ⏰8時30分～17時 休無休 交バス停ゆうステーションからすぐ P41台 MAP P122A3

◀建物の外に5軒ほどの飲食店もある

エリアを網羅する便利な足!

おぐにごう
ぐる～っとばす

小国郷ぐる～っとバス

小国町と南小国町を周遊する循環バス。黒川温泉をはじめ、小田や満願寺などの小国温泉郷の温泉地を巡る。運賃は乗車1回180～1050円。

☎0967-34-0211（産交バス阿蘇営業所）

▲ゆうステーションから黒川温泉までは右廻りで29分、左廻りで36分

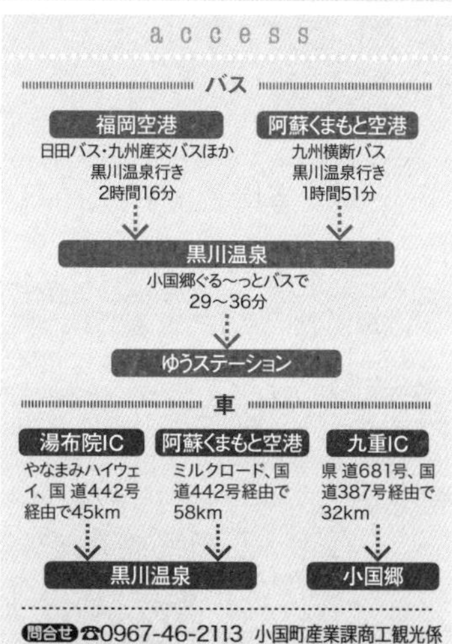

access

バス

福岡空港
日田バス・九州産交バスほか 黒川温泉行き 2時間16分

阿蘇くまもと空港
九州横断バス 黒川温泉行き 1時間51分

↓

黒川温泉
小国郷ぐる～っとバスで 29～36分

↓

ゆうステーション

車

湯布院IC
やなまみハイウェイ、国道442号経由で45km
↓ 黒川温泉

阿蘇くまもと空港
ミルクロード、国道442号経由で58km
↓ 黒川温泉

九重IC
県道681号、国道387号経由で32km
↓ 小国郷

問合せ ☎0967-46-2113 小国町産業課商工観光係
☎0967-42-1444 南小国町観光協会
広域MAP P122

まずは情緒あふれる温泉街を浴衣でのんびりおさんぽ

秘湯ムード満点の黒川温泉は、浴衣姿でカラコロ下駄がよく似合います。
お宿にチェックインしたらさっそく着替えて、温泉街をのんびり巡りましょう。

黒川温泉街歩きの3つのポイント

1 なにはともあれ入湯手形

26宿からお好みの3宿の露天風呂が利用できる温泉パスポート。1枚1500円で有効期限は購入日から半年間。

▲「風の舎」のほか、宿でも購入することができる

2 豊かな自然を愛でましょう

黒川は山あいの静かな温泉地。街の中心部には田の原川が流れ、あちこちに心を癒やす美しい自然が広がる。

▲緑に囲まれた風情あるたたずまいの宿が多い

3 入湯手形でおみやげも

入湯手形の3枚の入浴シールのうち、緑色のシールは飲食やみやげ購入にも使える。

▲温泉グッズや散策中の食べ歩きグルメなどと交換可能

1温泉街はのんびり歩いて30分程度。マップを片手におさんぽしよう 2宿によってはにごり湯が楽しめる場合も。写真は黒川荘(☞P94) 3温泉卵を販売する宿も

さっそくおさんぽに行ってみましょう

START！

徒歩すぐ

① 風の舎（かぜのや）

黒川巡りの拠点となる案内所

入湯手形の販売のほか、温泉街マップなどを無料配布。当日の入浴情報もコチラでチェック。

☎0967-44-0076（黒川温泉観光旅館協同組合）住南小国町満願寺6594-3 ⏰9～17時 休無休 交バス停黒川温泉から徒歩10分 P40台 MAP P123B3

▶目の前は無料駐車場

② べっちん坂（べっちんざか）

緑のトンネルを抜けて中心部へ

「風の舎」と温泉街のメインロード「川端通り」をつなぐ歩道。ただし急な坂なのでご注意を。歩道から延びる階段を下れば休憩スポットも。

MAP P123B4

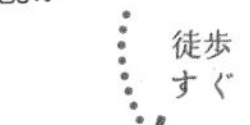

◀人通りが少なく静か。木洩れ日が心地よい

徒歩すぐ

③ 丸鈴橋（まるすずばし）

黒川温泉らしい風景が広がる

温泉街を流れる田の原川に架かる橋。風情ある宿と、緑と、川の流れという黒川の3大要素がファインダーに収まる人気の撮影ポイント。

MAP P123B4

▲しっとりとした街並みに溶けこむ丸鈴橋

徒歩2分

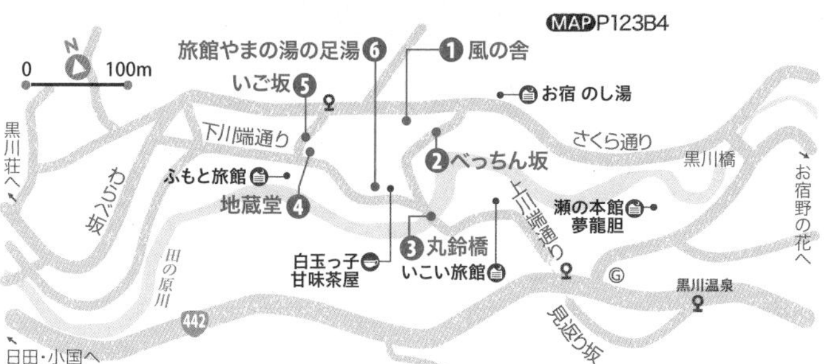

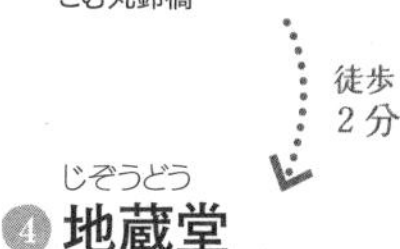

④ 地蔵堂（じぞうどう）

伝説が息づく黒川温泉発祥の地

少年の身代わりに首をはねられたお地蔵様を祀ったところ温泉が湧き出たという。使い終えた入湯手形を奉納すると、ご利益があるとか。

MAP P123A4

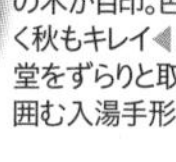

▲大きなイチョウの木が目印。色づく秋もキレイ◀お堂をずらりと取り囲む入湯手形

徒歩すぐ

⑤ いご坂（いござか）

しっとりとした温泉街風情の坂道

ゆるやかな階段状の坂道は、浴衣が似合う温泉街らしい雰囲気。猫がのんびりお昼寝をするほほえましい姿も。通り沿いには人気みやげ店が並ぶ。MAP P123A3

▲「さくら通り」と「川端通り」を結ぶ歩道

徒歩2分

GOAL！

⑥ お宿の足湯（おやどのあしゆ）

温泉街おさんぽの強～い味方

露天風呂が混雑している、歩き疲れた…そんなときに活躍してくれる、宿の足湯。旅館やまの湯（MAP P123B4、100円）は、タオル付き200円でも利用できて便利だ。

▲足湯内での飲食禁止。土足は厳禁なので注意して

入湯手形は状況に応じて使用中止となる施設があり。事前に風の舎に問合せを。

帰るころにはきっと素肌美人?!
入湯手形で湯めぐりしましょう

宿ごとに露天風呂の風情も泉質もさまざまで、いろいろなお湯を楽しめる黒川温泉。26湯のなかから美肌効果で人気の4つの湯をご紹介します。

いこい旅館

いこいりょかん

黒川美肌湯の代名詞的存在

黒川温泉で美肌湯といえばその名が挙がる人気の湯。そんな名湯をバラエティ豊かな湯船で楽しめるのもまた魅力。なかでもおすすめは女性露天に備わる立湯。水深は130cm、棒に捕まって入浴する個性派湯船。ふわふわ浮遊気分を楽しめる。

☎0967-44-0552 住南小国町満願寺6548 交バス停黒川温泉から徒歩5分 P16台（15時以降は宿泊者専用）MAP P123B4

＊お泊まり情報もCheck＊

風情ある民芸調の宿。自家製野菜をたっぷり使った料理も評判。夕食の美人鍋は名物。

¥1泊2食付き2万3800円～
IN15時／OUT10時
室全13室

美肌Point

黒川唯一といわれる明礬（みょうばん）を含む湯。余分な皮脂を取り除き、引き締め効果も期待大！

入湯手形OKのお風呂

露天●女2・男2
内湯●男1

立ち寄り入浴DATA

タオル 300円
バスタオル 800円
石けん 無料
シャンプー なし
ドライヤー 無料
鍵付きロッカー 100円

▶日本名湯秘湯百選に名を連ねる滝の湯（混浴）

旅館わかば

りょかんわかば

化粧水いらず！と女性に大人気

田の原川のせせらぎを聞きながら名泉が楽しめる露天風呂が人気の宿。自慢の湯は、ナトリウム塩化硫酸塩泉で、毛穴の汚れや皮脂をしっかり取り、つやつや肌にしてくれると評判だ。遠赤外線を放出するリモナイト鉱石を使った寝湯も備わる。温泉と遠赤外線効果で湯上がりはぽかぽかだ。

☎0967-44-0500 住南小国町満願寺6431 交バス停黒川温泉から徒歩3分 P16台 MAP P123C4

＊お泊まり情報もCheck＊

キレイを目指す女性にうれしいアットホーム宿。夕食は懐石料理、離れの客室は囲炉裏料理を提供。

¥1泊2食付き1万8700円～
IN15時／OUT11時
室全16室

美肌Point

泉質は油分を多く含むナトリウム-塩化物・硫酸塩泉で、湯上がり肌がしっとり潤う。

入湯手形OKのお風呂

内湯付き露天●女1・男1

立ち寄り入浴DATA

タオル なし
バスタオル なし
石けん 無料
シャンプー 無料
ドライヤー 無料
鍵付きロッカー なし

▶大正ロマン風情漂う内湯も備わる化粧の湯

湯めぐり可能な時間帯は？

「入湯手形」(☞P86)で楽しめる湯めぐり。入浴時間帯は一番長い宿で8時30分～21時。入浴情報は毎日異なるので、事前に風の舎(☞P87)でチェックしましょう。

美肌Point
美白やデトックス効果が期待できる硫黄泉。毎分200ℓの湧出量を誇る湯はかけ流し。

入湯手形OKのお風呂
露天●女1・男1

立ち寄り入浴DATA
タオル 250円
バスタオル 900円～
石けん 無料
シャンプー 無料
ドライヤー 無料
鍵付きロッカー 100円

◀同じ源泉だが、男湯と女湯で色が異なる場合も

わふうりょかん みさと

和風旅館 美里

色が変わる不思議な温泉

酸性のため一般的には白濁することが多い硫黄泉が湧く。しかしこちらで楽しめるのは、時間や日により乳白色へと変化する個性的な湯。その理由は定かではないものの、全国的にみても珍しい色の変化が楽しめる。

☎0967-44-0331 住南小国町満願寺6690 交バス停黒川温泉から徒歩10分 P13台(宿泊者専用) MAP P123A3

＊お泊まり情報もCheck＊

アットホームな宿。地元食材をたっぷり使った自慢の和会席は食事処で提供される。
¥1泊2食付き2万3100円～
◷IN15時／OUT10時
室全12室

美肌Point
硫黄泉は飲泉可。美肌のほかに、便秘にも効果的という。
※硫黄泉の内湯は宿泊者専用

入湯手形OKのお風呂
露天●女1・混浴1

立ち寄り入浴DATA
タオル 150円
バスタオル なし
石けん 無料
シャンプー なし
ドライヤー なし
鍵付きロッカー 無料

◀すぐ隣をせせらぎが流れる女性露天・四季の湯

りょかん さんが

旅館 山河

お肌にうれしい2つの源泉をもつ

デトックス効果が期待できる硫黄泉(内湯)と、保湿効果に優れた塩化物泉(露天風呂)。キレイを目指す女子にうれしい2種の源泉が湧く黒川でも希少な宿。内湯、露天風呂の順で入浴すればすべすべお肌になれるとか。ぜひダブルで入浴したい。

☎0967-44-0906 住南小国町満願寺6961-1 交バス停黒川温泉から車で5分 P25台 MAP P123A1

＊お泊まり情報もCheck＊

中心部から少し離れた静かな森の中に立つ。名泉が24時間楽しめる風呂付き客室は7室。
¥1泊2食付き2万900円～
◷IN15時／OUT10時、離れは11時　室全16室

入湯手形での湯めぐりは、温泉を楽しむためのもの。洗い場がなく、シャンプーなどの備品やシャワーの設置がない露天風呂もあります。

散策途中においしいひと休み 人気ランチとほっこりおやつ

人気宿のラウンジや姉妹店、老舗飲食店で楽しむ美味ランチ。
湯上がりに味わいたいスイーツとともに、温泉街めぐりと併せてどうぞ。

地鶏そば 2000円
打ちたて、ゆでたてのそばは香りよく、噛むほどに甘みが広がる

こだわりPoint
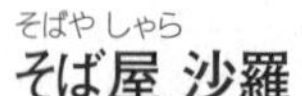
▲地鶏のだしとざるツユの二つの味を楽しめる

そばや しゃら
そば屋 沙羅

雑木林に覆われた風情ある食事処。信州産と南阿蘇産をブレンドしたそば粉を使用。囲炉裏で燻製にした肉厚の地鶏を鍋仕立ての地鶏だしで味わう地鶏そばが人気。自家製の低農薬米や契約農家から仕入れる烏骨鶏の卵など、食材にもこだわっている。

☎0967-48-8355 住南小国町満願寺7188 ⏲11～15時※そばがなくなり次第終了 休火曜 交バス停黒川温泉から車で3分 P16台 MAP P123A1

◀阿蘇地方の民家を再現した店内。庭の風景も美しい

とうふ定食（梅） 1760円
冷奴（冬は湯豆腐）は、木綿、柚子、シソの3種の食べ比べができる。

こだわりPoint
▲豆乳を使ったソフトクリームも楽しみの一つ。350円

とうふきっしょう
とうふ吉祥

創業60年以上の豆腐専門店。国産大豆と黒川の源流水、天然のにがりを使い昔ながらの製法で仕込む豆腐は、がっしりとした見かけでありながら、大豆の甘みが広がる繊細な味わい。豆腐をいろいろ楽しめる3種類のとうふ定食は1760円～。

☎0967-44-0659 住南小国町満願寺6618 ⏲11～17時 休不定休 交バス停黒川温泉から徒歩8分 P2台 MAP P123B3

◀古民家を改装した風情ある建物。囲炉裏席が並ぶ

わろく屋 三種のカレー 1800円
ヨーグルト、サラダ付き。より満足感を味わいたい人はカツのせ2300円も。

こだわりPoint
▲白カレーには濃厚さが自慢の小国ジャージー牛乳も使用

わろくや
わろく屋

くまもとあか牛の「赤カレー」、肥後あそび豚の「黒カレー」、肥後赤鶏の「白カレー」の3種類のカレーが食べられるわろく屋三種のカレーが人気。阿蘇のあか牛を使った「あか牛まぶし膳」「あか牛御膳」もオススメ。

☎0967-44-0283 住南小国町満願寺6600-1 ⏲11～16時LO 休木曜、および不定休 交バス停黒川温泉から徒歩5分 P共同駐車場利用 MAP P123B4

◀地元食材、手作りにこだわる、地元でも人気のカフェ

わろく屋で発見！
体にやさしい
テイクアウトスイーツ

黒川散策のお供にしたい**わろく屋**(☞P90) の自家製レモンスカッシュ600円は、熊本産のレモンを100%使用。自家製レモンスカッシュまたは小国ジャージー牛乳は、黒川温泉の入湯手形(☞P86)でも交換可能。

塩麹を使ったサックサクのシュー

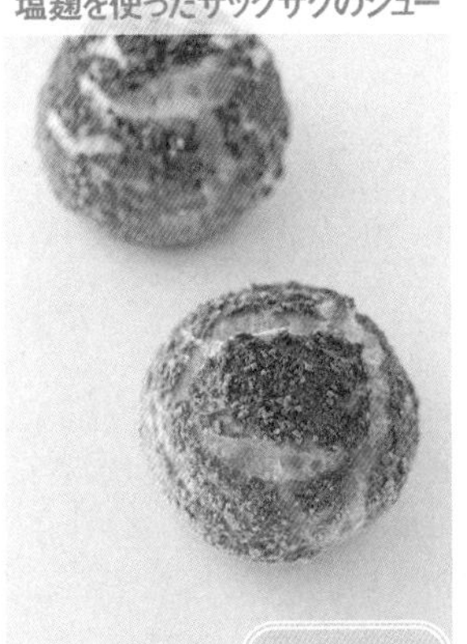

ジャージーシュークリーム 300円
クリームたっぷりで重みずっしり、甘さ控えめで後味はすっきり。

コチラもおすすめ

▲阿蘇産大豆のきなこクッキー1袋600円。胚芽玄米入りで香ばしい

ぱてぃすりーろく
パティスリー麓

地元素材で作るスイーツが並ぶパティスリー。なかでも人気は、塩麹を使って焼き上げた香ばしいシュークリーム。小国ジャージー牛乳と地元卵で作る濃厚クリームは、注文を受けてから詰めてくれるため生地がサクサク！温泉街散策のお供にぜひ。

☎0967-48-8101 住南小国町満願寺6610 ⏰9～17時 休火曜 交バス停黒川温泉から徒歩7分 P共同駐車場利用 MAP P123A4

◀買った商品は店の外のベンチでも食べられる

ぷるるん食感の白玉デザート

湯上がり白玉（抹茶付き） 1100円
素材にこだわった自家製の白玉は、噛めば弾むようなもちもち感が自慢。

コチラもおすすめ

▲北海道産の大納言を使用した白玉ぜんざい850円

しらたまっこかんみぢゃや
白玉っ子甘味茶屋

国産もち米100%の白玉を使った和風スイーツが楽しめる店。人気の湯上がり白玉は、つるんとしたのど越しの白玉をトッピングとともに味わえる人気メニュー。トッピングはきなこ、黒胡麻、黒蜜、みたらし、小倉、胡麻蜜の6種類から2種類が選べる。

☎0967-48-8228 住南小国町満願寺6600-2 ⏰10時～16時30分LO 休不定休 交バス停黒川温泉から徒歩5分 P共同駐車場利用 MAP P123B4

◀田の原川に臨む甘味処。パフェなどはテイクアウト可

みやげ購入とひと休みに最適

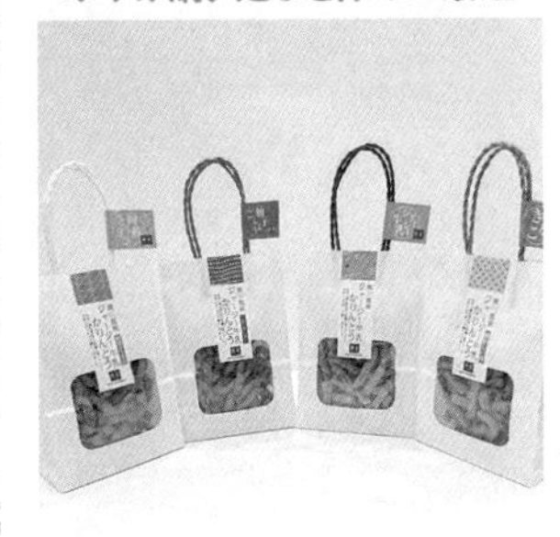

ジャージー牛乳かりんとう 430円
カリカリした歯ざわりがよく、後を引くおいしさ。オリジナルテイストが揃う。

コチラもおすすめ

▲ジャージー牛乳を使ったみるく豆も大人気430円

ゆのん
湯音

生産者と共同開発した小国特産みやげが揃う。特にジャージー牛乳を使ったかりんとうは人気。水を一切使わず、ジャージー牛乳とハチミツだけで練り上げたもの。きな粉や柚子こしょうなど全4種類あり各430円。カウンターの椅子に座りおやつを楽しむ人も多い。

☎0967-44-0777 住南小国町万願寺6602 ⏰9時～12時30分、13時30分～18時 休無休 交バス停黒川温泉から徒歩6分 P共同駐車場利用 MAP P123B4

◀長椅子などが用意されドリンクやおやつが楽しめる

乙女ゴコロをくすぐります もらってうれしい女子みやげ

ビジュアルのかわいさはもちろん、素材にもこだわった黒川みやげ。
宿オリジナルの温泉コスメから手作り雑貨まで厳選みやげをご紹介します。

美肌ぬか袋・豆乳袋
1袋各500円 ❶

お湯の中で軽く揉み、水分を含ませた袋でやさしくマッサージ。しっとり艶のあるお肌に。

馬油リップクリーム
1個770円 ❷

抜群の浸透力で保湿効果に優れる馬油のリップクリーム。のびがよく、ベタ付きもナシ。

オーガニックタオルのくまさん
1個3850円(M)・3300円(S) ❸

やわらかなタオル生地で作られたくまさん。目や鼻は手縫いのため、一体ずつ表情が違う。

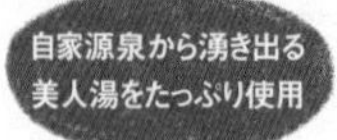

黒川美人 化粧水
200㎖ 1980円 ❶

自家源泉90%以上に4種の植物エキスを配合した全身ローション。30㎖650円サイズも。

アロマ馬油
1個1650円 ❷

お肌はもちろん、髪にもOKの馬油クリーム。ローズの香りで、しっとり潤う人気アイテム。

オーガニックタオルマフラー
1枚1980円 ❸

染色をしていないオーガニックコットンを使用。さらに、ガーゼ織りのため、やわらかい！

❶ いこい旅館（いこいりょかん）

ぬか袋や化粧水などの温泉コスメや便せんなどいこい旅館（☞P88）のオリジナルグッズは約20種類。レトロな女の子のイラストがポイントで宿の売店で購入できる。

☎0967-44-0552 住南小国町満願寺6548 ⏰売店8～21時ごろ 休不定休 交バス停黒川温泉から徒歩4分 P16台（15時以降は宿泊者専用） MAP P123B4

❷ 旅館わかば（りょかんわかば）

湯上がりは肌がしっとりする美人湯と名高い旅館わかば（☞P88）のオリジナルグッズはお手頃価格で好評。宿泊者以外でも売店で購入できるので気軽に立ち寄ろう。

☎0967-44-0500 住南小国町満願寺6431 ⏰売店8～21時ごろ 休無休 交バス停黒川温泉から徒歩3分 P15台 MAP P123C4

❸ ふくろく（ふくろく）

おみやげにはもちろん、湯めぐりにも使えるタオルや手ぬぐいが充実。やわらかなタオル生地で作られたぬいぐるみやオーガニック素材のタオルやマフラーも評判。

☎0967-44-0296 住南小国町満願寺6610 ⏰9～18時 休不定休 交バス停黒川温泉から徒歩7分 P共同駐車場利用 MAP P123A3

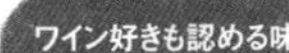

おいしい小国産の
おみやげなら
コチラ

手づくりどら焼き180円の**黒川どら焼き家 どらどら**。人気は、どら焼に小国ジャージー牛乳で作るクリーム大福などを挟んだどらどらバーガー350円。その他4種は300円。
☎0967-44-1055 MAP P123A3

風野葡萄酒
360㎖各927円 ④

熊本県産のブドウを贅沢に使った、さらりと飲みやすい黒川オリジナルワイン。720㎖1414円もある。

黒川堂ステンレスタガ檜湯桶6600円 ⑤

質の高い紀伊山地の檜を使った湯桶。耐久性や使い勝手にもこだわった温泉地ならではの商品。

黒川温泉風呂敷
1袋4000円 ⑥

エコバッグとしても使えるおしゃれな風呂敷。撥水加工なので、少々濡れても大丈夫。色は黒と白。

湯上り美人
3本（箱入り）2112円 ④

できたての酵母入りオリジナル地ビール。ペールエール、ダークラガー、ピルスナーの3種類。各330㎖。

黒川堂オリジナル杉下駄
1足7700円 ⑤

職人の丁寧な手仕事で作られた本格的な下駄。湯めぐりの履物にぴったり!

黒川温泉ご当地ベア
ぬいぐるみ3300円
キーホルダー2000円 ⑥

かわいい浴衣を着たご当地ベア。首から入湯手形をぶら下げる。足の裏にはかわいい温泉マーク入り。

④ 後藤酒店（ごとうさけてん）

いご坂入口に立つ、創業90余年の老舗酒店。黒川温泉限定の地ビールやオリジナルワインのほか、南小国の恵みで作った地焼酎や地酒を販売。菓子や雑貨などのみやげも揃う。

☎0967-44-0027 住南小国町満願寺6991-1 🕒8時40分～22時 休不定休 交バス停黒川温泉から徒歩7分 P共同駐車場利用 MAP P123B3

⑤ Kurokawa Onsen 湯旅屋 黒川堂（くろかわおんせん ゆたびや くろかわどう）

“あなただけの、温泉コーデ。”をコンセプトに、手桶や下駄、タオル、石鹸など、温泉と温泉街をテーマにしたハイセンスなグッズや雑貨を販売。

☎090-6455-0020 住南小国町満願寺6592-2 🕒9時30分～12時、13時～17時30分 休火・水曜 交バス停黒川温泉から徒歩10分 Pなし MAP P123B3

⑥ 風の舎（かぜのや）

手形やクーポンなどを入手できる風の舎だが、オリジナルのみやげも購入できる。タオルや入浴剤など、自宅でも温泉気分が楽しめるお風呂グッズなどが揃っている。

☎0967-44-0076 住南小国町満願寺6594-3 🕒9～17時 休無休 交バス停黒川温泉から徒歩10分 P50台 MAP P123B3

プラスαの魅力がうれしい 個性あふれる宿でお籠りステイ

自然豊かなロケーションのなかで、温泉と美食とプラスαの魅力を満喫。
黒川温泉を訪れたら、そんな贅沢なステイを体験しましょう。

プラスαの魅力はココ

土壁造の離れは和室4棟と洋室1室。露天風呂は客室によって造りが異なる。

1 離れは1泊2食付き4万4000円～ 2 離れの夕食一例。2024年8月以降は個室食事処での提供に 3 離れの客室露天。神秘の湯をいつでも楽しめる

くろかわそう

黒川荘

全国でも珍しい神秘のにごり湯

泉質は黒川で多い炭酸水素塩泉ながら、ここはほかにはない乳白色がかった緑色の湯が湯船に満ちる。そんな神秘的な雰囲気のある湯は男女計4つの浴場と3つの家族風呂で楽しめる。満喫するなら露天と内湯が備わる離れをチョイス。地元食材にこだわる料理も評判で、四季折々の繊細な味を五感で味わえる。

☎0967-44-0211 住南小国町満願寺6755-1 交バス停黒川温泉から徒歩12分 P30台 室全18室（母屋13、離れ5）
●1990年開業
MAP P123B1
●内湯あり 露天あり 貸切あり（離れ専用）
●泉質：炭酸水素塩泉 ●立ち寄り湯あり

CHECK
＊1泊2食付き料金＊
平日、休前日とも
2万9500円～
＊時間＊
IN15時、OUT11時

プラスαの魅力はココ

客室数14に対して風呂数13! うち9つは貸切風呂で、いつでも利用可能。

1 最大1.5mまで次第に深くなる貸切風呂 2 女将が厳選して仕入れる食材を使った夕食一例 3 入湯手形でも利用できる女性露天うえん湯。竹林が囲む

ふもとりょかん

ふもと旅館

黒川随一の風呂数を誇る宿

温泉街のほぼ中心に位置し、入湯手形を使った湯めぐりに便利な立地。さらに自慢は種類豊富な複数の風呂で、宿内で湯めぐりを満喫できる。たち湯、石くりぬき、檜風呂など9つの貸切風呂（宿泊者限定）はすべて追加料金なしで利用できるのもうれしい。女将自ら献立を考案し、阿蘇の食材を中心にした和洋折衷の創作料理も評判が高い。

☎0967-44-0918 住南小国町満願寺6697 交バス停黒川温泉から徒歩10分 P15台 室全14（本館11、別館3）
●1985年開業
MAP P123A4
●内湯あり 露天あり 貸切あり ●泉質：弱アルカリ性単純泉
●立ち寄り湯あり

CHECK
＊1泊2食付き料金＊
平日、休前日とも
2万2150円～
＊時間＊
IN15時、OUT10時

 源泉かけ流し 部屋食 エステあり 禁煙ルームあり 大浴場あり ひとり宿泊OK インターネット可

いやしのさと きやしき

いやしの里 樹やしき

天空にぐんと近づく高台の宿

中心部から少し離れた奥黒川エリアにある宿。2つの渓流に囲まれた高台立地を生かした爽快ビューが自慢。夜はバーになるラウンジや露天風呂、離れの客室でその眺望を楽しめる。なかでも「山法師（やまぼうし）」と「花筏（はないかだ）」は絶景ルームとして人気。

☎0967-44-0326 住南小国町満願寺6403-1 交バス停黒川温泉から車で5分 P30台 室全20室（本館10、離れ10）●1989年開業 MAP P123B1

●内湯あり 露天あり 貸切あり ●泉質：単純硫黄泉 ●立ち寄り湯あり

プラスαの魅力はココ

ライトアップされた渓谷を望むバー。カクテルのほか、焼酎は100種以上。

1 長さ7mのガラス越しに絶景を望むバー 2 離れの夕食は囲炉裏料理。自家製野菜もふんだんに 3 離れの山法師の客室露天

CHECK
＊1泊2食付き料金＊
平日1万7750円～
休前日1万8850円～
＊時間＊
IN15時、OUT10時
（離れは10時30分）

やまのやど しんめいかん

山の宿 新明館

お肌が潤うと評判の洞窟風呂

13年の歳月をかけて掘ったという洞窟風呂が全国的に有名。薄暗い洞内には湯気が立ちこめ、まさに天然ミストサウナ状態。お肌の潤い効果があると女性にも評判だ。トンネルを抜けた先には心地よい川風が吹く露天風呂が待つ。

☎0967-44-0916 住南小国町満願寺6608 交バス停黒川温泉から徒歩7分 P15台 室全12室（本館12）●2006年改装 MAP P123A4

●内湯あり 露天あり 貸切あり ●泉質：ナトリウム-炭酸水素塩・塩化物泉 ●立ち寄り湯あり

プラスαの魅力はココ

探検気分が味わえると子どもたちにも人気が高い洞窟風呂。

1 入口が2カ所あり、反対側へ抜けることができる 2 食事処での囲炉裏料理 3 客室は6～8畳の和室一間。和紙製の照明などレトロな雰囲気

CHECK
＊1泊2食付き料金＊
平日2万900円～
休前日2万2000円～
＊時間＊
IN15時、OUT10時

さとのゆ わらく

里の湯 和らく

（条件あり）

大人限定の離れの湯宿

静寂が広がる奥黒川にたたずむ全室かけ流し温泉付きの宿。カップルや夫婦でゆっくりと過ごして欲しいと、子どもは13歳以上から。食事は、オープンキッチンにてその時々調理したものを提供。2階にある3室限定の半個室でもいただける（予約可）。

☎0967-44-0690 住南小国町満願寺6351-1 交バス停黒川温泉から車で6分 P11台 室全11室（離れ11）●1999年改装 MAP P123C1

●内湯あり 露天あり ●泉質：含硫黄-ナトリウム・塩化物・硫酸塩泉 ●立ち寄り湯あり

プラスαの魅力はココ

13歳以上から大人1室2名限定の宿。離れ形式の客室からは森や田園などの風景を望む。

1 4タイプある客室は60～90㎡と広々 2 夕食は旬の食材を使った和洋創作会席料理 3 客室の風呂の横には開放感あるウッドデッキが付く

CHECK
＊1泊2食付き料金＊
平日、休前日とも
4万4500円～
＊時間＊
IN15時、OUT11時

中心部から車で10分ほどの**平野台高原展望所**（MAP P123C1）は黒川随一の絶景ポイント。大草原の先にくじゅう連山を望みます。

ゆっくりとした時間が流れる 山里風景の小国郷ドライブ

所要時間
6時間

滝と渓流、温泉が点在するマイナスイオンの宝庫・小国郷。
山里をドライブしながら豊かな自然に癒やされ、日頃の疲れをリセットしましょう。

大分自動車道
九重IC

28km

❶ 鍋ヶ滝公園（なべがたきこうえん）

木立の緑に水のベールがかかる

遊歩道を下っていくと、幅約20m、高さ約10mとスクリーンのような滝が現れる。周囲にひんやりとした空気が漂い、川のほとりで滝を間近に見ることができる。滝周辺は滑りやすくなっているので、歩きやすい靴で。

☎0967-46-4440(ASOおぐに観光協会) 住小国町黒渕 ¥300円 ⏰9～17時（最終入園16時30分）※入園は事前予約制 交バス停ゆうステーションから車で10分 P123台 MAP P122A2

1 遊歩道の石畳には6つのハート形の石があるので探してみよう 2 木洩れ日が滝に当たると神秘的な雰囲気に

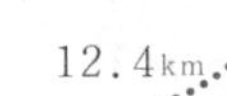

13.4km

❷ 岡本とうふ店（おかもととうふてん）

涌蓋山の湧水で作る豆腐

明治時代から続く老舗の豆腐店。涌蓋山の湧水を使って作る素朴な豆腐は、大豆の味が濃いと評判で、遠方から訪れるファンも多い。なめらかな触感のざる豆腐400円～や、揚げたて生揚げ330円が名物。

☎0967-46-3762 住小国町西里2241-6 ⏰8～17時（売り切れ次第終了）休水曜 交バス停ゆうステーションから車で15分 P 30台 MAP P122B2

12.4km

1 ざる豆腐、生揚げ、豆乳などが味わえるとうふ定食1400円 2 豆乳1本220円や豆乳かりんとうなどの販売もしている 3 店内は昔ながらの風情ある趣

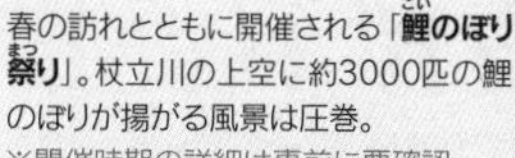

鯉のぼりの大群が泳ぐ杖立温泉の人気イベント

春の訪れとともに開催される「**鯉のぼり祭り**」。杖立川の上空に約3000匹の鯉のぼりが揚がる風景は圧巻。
※開催時期の詳細は事前に要確認。
☎0967-48-0206(杖立温泉観光協会)
MAP P122A2

③ あっぷるみんとハーブ農園

あっぷるみんとはーぶのうえん

ジャムやソースをお持ち帰り

野菜やハーブなど自然栽培した作物を中心に、自家農園食材で作る加工品を販売。無農薬栽培米のきよら米1kg750円やブルーベリーで作るジャム810円、釜煎りハーブソルト85g672円など人気。自然食レストランも併設している。

☎0967-42-1553 住南小国町満願寺312 ⏰11～17時 休月・火・金曜 交バス停ゆうステーションから車で13分 P10台 MAP P122A3

1 オリジナルハーブティー20g各572円
2 シンプルなパッケージの商品が並ぶ店内

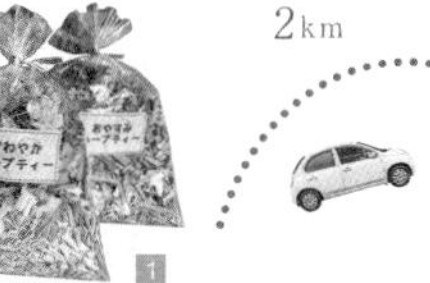

2km

④ Tea room 茶のこ

てぃー るーむ ちゃのこ

岩清水で淹れたお茶やスイーツ

九州産のお茶や北欧紅茶、岩清水珈琲、手作り甘味などを提供している。自家製のピスタチオアイスを使用した贅沢なパフェ「Wショコラとピスタチオのパフェ」1650円が人気。

☎非公開 住南小国町赤馬場138 ⏰11時～15時30分LO 休木曜、第3水曜 交バス停ゆうステーションから車で5分 P8台 MAP P122A3
※入店は中学生以上、4名まで

1 Wショコラとピスタチオのパフェ1650円 2 心地よい日差しの店内

12km

1 女将が考案したほうじ茶プリン300円 2 石庭風呂は男女時間交代制

⑤ 純和風旅館 泉屋

じゅんわふうりょかん いずみや

むし湯で美肌力をアップ！

杖立温泉で古くから親しまれているむし湯。サウナより温度が低く、湿度が高いので、肌や髪がしっとりすると評判だ。一般的なむし湯のほか、箱むし湯などの変わりむし湯も揃う（男女日替わり）。

☎0967-48-0021 住小国町下城杖立4179 ¥日帰り入浴500円 ⏰9～20時 休無休 交バス停ゆうステーションから産交バス博多バスセンター行きで22分、杖立からすぐ P30台 MAP P122A2

3 箱の中で座って楽しむ箱むし湯

GOAL！

27km

大分自動車道
日田IC

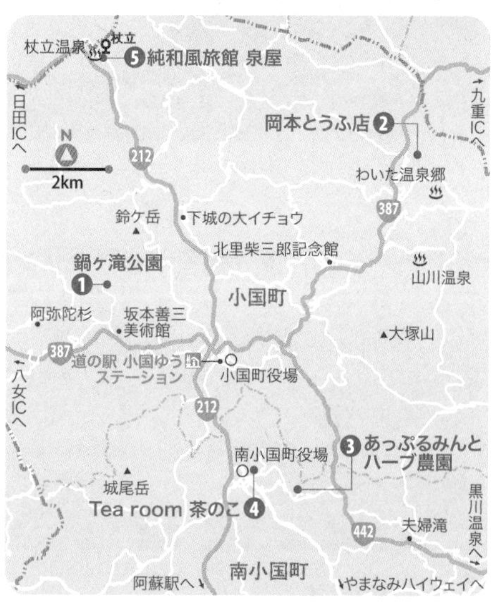

露天付き離れの宿でのんびりSTAY 小国郷の宿でゆるりと過ごしましょ

離れの客室や貸切風呂が充実し、隠れ家的雰囲気をもつ小国郷の温泉宿。
いつもより贅沢に過ごしたいときにぴったりな、極上の空間が待っています。

CHECK
離れ（写真）［棚田の離れ］
＊1泊2食付き料金＊
平日4万3050円～
休前日4万6350円～
＊時間＊
IN15時、OUT11時

露天自慢の離れはコチラ
［棚田の離れ］
木のぬくもりを感じられる空間。温泉水プールの眼下には小田川が流れている。

1離れ洋室のテラスには開放的な露天風呂と温泉水プールが設けられている 2床暖房完備の快適な空間

白川温泉

ふうふろてんぶろのやど ふじのや

夫婦露天風呂の宿 藤のや

自然との一体感が楽しめるプライベート宿

小田川沿いにたたずむ、全室露天風呂付きの宿。川縁の客室では川のせせらぎを楽しみながらゆったりとした時間を過ごせる。2023年10月には2棟4室の洋室が新たにオープンした。4室すべてのテラスに温泉水プールと露天風呂が付いていて年中利用ができる。

☎0993-22-2217（ふじリゾート予約センター）住南小国町満願寺6069-1 交大分自動車道日田ICから車で1時間 P10台 室全10室 ●2022年開業 MAP P123B2
●風呂：内湯なし　露天あり ●泉質：単純温泉 ●立ち寄り湯なし

▲温泉水プール付き貸切露天風呂（無料）

 源泉かけ流し　部屋食　エステあり　禁煙ルームあり　大浴場あり　ひとり宿泊OK　インターネット可

わいた温泉郷名物・貸切風呂

小国の中心部から車で15分ほどの位置にあり、24時間営業、コイン式など、バリエーション豊富な貸切温泉が点在。☎0967-46-5750(わいた温泉組合事務局) MAP P122B2

CHECK
離れ(写真)[月夜]
1泊2食付き料金
平日、休前日とも
2万7650円～
時間
IN15時、OUT10時

露天自慢の離れはコチラ
[月夜]
夜をモチーフにした造りで、黒光りする古材を使用。部屋の中央には囲炉裏が備わる。

1打たせ湯付きの露天。夜は満天の星がキレイ 2落ち着いた和の風情漂う、離れの客室「月夜」

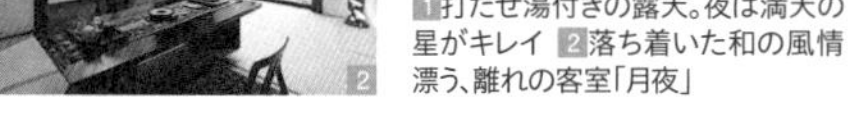

杖立温泉

米屋別荘
こめやべっそう

温故知新をテーマにした離れの間

創業天保14年（1843）と江戸時代から続く老舗温泉宿。離れの客室は、「朝明け」、「日溜り」、「月夜」の全3棟。窓から見える山の景色や光の差し込み具合など、それぞれの趣向を凝らした上質な空間で、心地よいひとときを味わえる。

☎0967-48-0507 住小国町下城4162-4 交バス停ゆうステーションから産交バス博多バスセンター行きで22分、杖立下車、徒歩3分 P20台 室全6室 ●1843年開業 MAP P122A2 ●風呂：内湯あり　露天あり　貸切あり ●泉質：ナトリウム-塩化物泉 ●立ち寄り湯あり

▲杖立川を望む好ロケーション

CHECK
離れ(写真)[山吹荘]
1泊2食付き料金
平日3万3150円～
休前日3万5350円～
時間
IN15時、OUT10時

露天自慢の離れはコチラ
[山吹荘]
10畳+4.5畳の二間続き。縁側があり、手入れされた庭を眺めながらのんびり過ごせる。

1広々とした石造りの客室露天でゆったりと 2縁側付きの離れ客室。季節の風を感じてみて

小田温泉

静寂な森の宿 山しのぶ
せいじゃくなもりのやど やましのぶ

せせらぎを聞きながら温泉三昧

客室は本館6室、内風呂、露天付きの新館と離れの3タイプ。計12組のゲストに対し、風呂は3つの家族風呂を含む7つの源泉かけ流し24時間温泉。図書室や天文館、地酒のふるまいもある囲炉裏で、くつろぎの時を過ごせる。

☎0967-44-0188 住南小国町満願寺5960 交バス停ゆうステーションから小国郷循環バスで20分、小田温泉下車、徒歩5分 P12台 室全12室 ●1994年開業 MAP P123A2 ●風呂：内湯あり 露天あり 貸切あり ●泉質：ナトリウム-炭酸水素・塩化物・硫酸塩泉 ●立ち寄り湯あり

▲雑木林に囲まれた石畳の入口

ココミルおさんぽ

瀬(せ)の本(もと)高(こう)原(げん)

～高原リゾートで癒やされる～

やまなみハイウェイ沿いに広がるリゾートエリア。阿蘇五岳を一望できる絶景が自慢です。

●黒川からのアクセス

バス：バス停黒川温泉から九州横断バスで筋湯温泉入口まで33分

車：黒川温泉から国道442号で7km

問合せ☎0967-42-1444（南小国町観光協会）

瀬の本高原はココにあります！

▲「藍」の客室は24畳の和洋室。電子レンジやDVDプレイヤーなども完備 ◀森を望む「藍」の内湯。デッキの奥には露天風呂も

こうげんのかくれがすぱ・ぐりねす

高原の隠れ家 スパ・グリネス

森に抱かれた豪華な貸切温泉

戸建ての貸切風呂が全8棟。全棟に客室が備わり、美肌効果で評判の湯をたたえる浴室でも森や阿蘇五岳を望める癒やしの空間。

☎0967-44-0899 住九重町湯坪瀬の本628-2 ¥6時間1名1万3650円～ ⏰12～14時（最終受付）休無休 交バス停筋湯温泉入口から徒歩1分 P40台

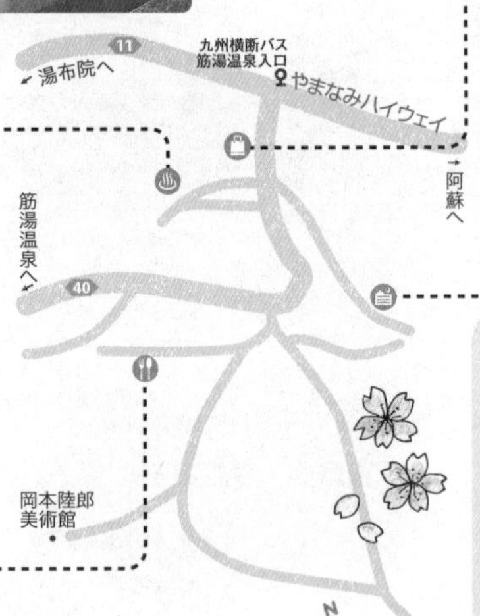

おーべるじゅ あ・ま・ふぁそん

オーベルジュ ア・マ・ファソン

本格フレンチを気軽にランチで

こだわりの食材を使った見た目も美しい本格フレンチが味わえるオーベルジュ。おすすめはランチフルコース5500円～。

☎0967-44-0048 住九重町湯坪瀬の本628-10 ⏰11時30分～13時LO、18～20時LO（夜は前日までの要予約）※営業時間は要確認 休木曜のランチタイム 交バス停筋湯温泉入口から徒歩5分 P20台

▲施設越しに望む涅槃像こと、阿蘇五岳 ◀ランチフルコース5500円（一例）

てぃーあんどはーぶてぃーさんじゅうろく

Tea&Herbtea36

自分好みのハーブティーを探そう

体の悩みや症状に合わせてブレンドされたハーブティー各972円や、ノンカフェインの36ブレンド茶540円～が人気のショップ。店内には山々の景色を眺めながらハーブティーを楽しめるカフェも。

☎0967-44-1736 住九重町湯坪628-2 ⏰9時～17時30分 休水曜（祝日の場合は営業）交バス停筋湯温泉入口すぐ P5台

▲店内にはさまざまな種類のお茶が並ぶ

お泊まりするなら

かい あそ

界 阿蘇

8000坪の敷地に点在する離れは12棟。森に抱かれた露天風呂で湯浴みを堪能できる。夕食は九州の豊かな食材を堪能する和会席。

☎050-3134-8092（界予約センター）住九重町湯坪瀬の本628-6 ¥1泊2食付き5万5000円～ ⏰IN15時／OUT12時 交バス停筋湯温泉入口から徒歩5分 P15台

▲森をわたる風、川のせせらぎ、鳥のさえずりに包まれる贅沢な客室露天

見渡す限りの大草原！ 爽やかな阿蘇でリフレッシュ

どこまでも続くビロードのような緑の絨毯に包まれて
大草原の澄んだ空気のなかゴロリとお昼寝。
雄大な山並みを見渡しながら大自然を満喫し、
おしゃれな山里カフェも訪ねてみましょう。

約3000年前の噴火で生まれた米塚

▲大観峰から眺める阿蘇五岳。その姿から涅槃像に例えられる

▲ミルクロードは草原のなかに一本の道が続き、ドライブにぴったり（上）。ドライブ途中、牛や馬に出合える（中）（下）

どこまでも続くビロードのような大草原

阿蘇

あそ

めるころパン工房の山ぶどうパン

ダイナミックな風景が広がる九州随一のドライブエリア。涅槃像とよばれる阿蘇五岳をはじめ、雄大な自然にあちこちで出合える。爽快ドライブを楽しみながら、おしゃれカフェでのんびりくつろごう。

いたるところで牛の姿を見かける

阿蘇はココにあります！

※平成28年（2016）熊本地震の影響により、阿蘇周辺の道路に通行規制の箇所がありますので、おでかけの際には最新の情報をご確認ください。

～阿蘇はやわかりMAP～

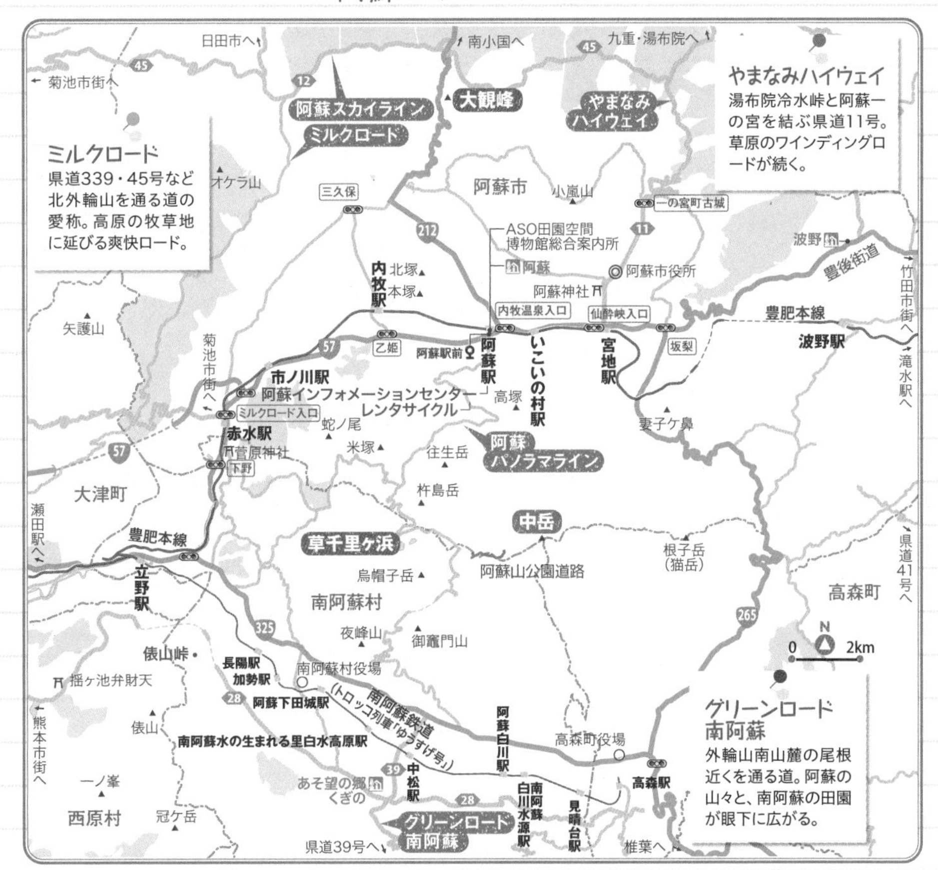

◀阿蘇に春の訪れを告げる高山植物ミヤマキリシマ。渓谷一帯をピンクに染める姿は感動的

▼世界中のバラを集めた「ASO MILK FACTORY はな阿蘇美」など、花スポットが点在
☎0967-23-6262
MAP P124C1

サイクリングもおすすめです！

レンタサイクル

阿蘇駅で利用できるレンタサイクル。すべて電動アシスト付きで、坂道もラクラク！駅周辺の観光に（山間部の利用不可）。予約は不可、事前に問合せを。☎0967-34-1600（阿蘇インフォメーションセンター）¥2時間1000円、4時間1500円、8時間3000円 ⏰9～17時（返却も17時まで）休無休 交JR阿蘇駅構内 P なし MAP P125D2

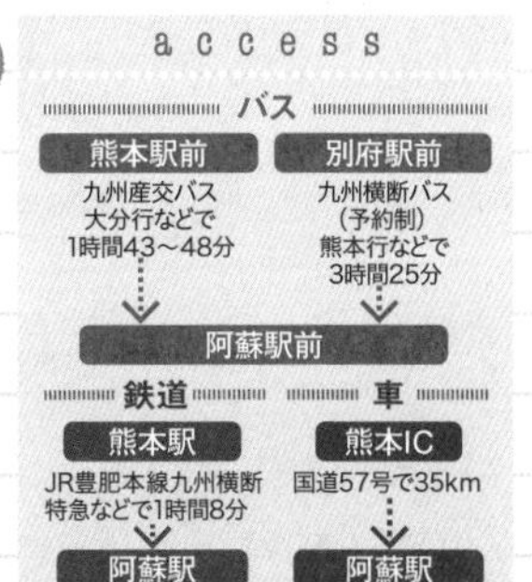

access

バス

熊本駅前 九州産交バス 大分行などで1時間43～48分
別府駅前 九州横断バス（予約制）熊本行などで3時間25分
→ 阿蘇駅前

鉄道

熊本駅 JR豊肥本線九州横断特急などで1時間8分 → 阿蘇駅

車

熊本IC 国道57号で35km → 阿蘇駅

問合せ ☎0967-34-1600 阿蘇インフォメーションセンター
☎0967-67-2222 南阿蘇観光案内所
広域MAP P124・125

かわいらしい山里カフェでスローな時間を過ごしましょ

阿蘇には田園風景のなかにおしゃれでかわいいカフェが点在。
ゆるゆると心がほぐれていく、居心地のよい空間でのんびり時間を過ごしましょう。

イギリスの田舎町をイメージ
乙女心をくすぐる空間

1少人数で静かに楽しむのに最適なカフェ 2緑豊かな雑木林に覆われている

南阿蘇

のほほんかふぇ ぼわ・じょり

のほほんcafé ボワ・ジョリ

素朴でおいしい手作りスイーツ

小さな森の中にたたずむ、フランス語で「美しい森」を意味するカフェ。店内は流木・レース・ガラスなどで装飾され、窓からは春なら新緑、夏なら生い茂る緑、秋なら紅葉、冬なら雪景色と移ろう景色が楽しめる。食材は自家製のものが中心で、ケーキはすべて手作り。

▲表面がサクッとしたナチュラル全粒粉スコーン650円

☎0967-67-3016 住南阿蘇村河陰409-5 ⏰11時30分～16時LO 休木・金・日曜、祝日（12～2月は木・金曜）交九州自動車道益城熊本空港ICから約42km P6台 MAP P124C4

こちらもおすすめ

- ・ピクニックランチ 1450円
- ・ボワ・ジョリ風たかなめし 1450円
- ・コーヒー 500円

田園風景越しに
阿蘇五岳がそびえる

1テラス席は、阿蘇を眺める特等席 2黒を基調とした外観がおしゃれ

北阿蘇

ひばりかふぇ

ヒバリカフェ

ハム職人の絶品ホットドッグ

世界最高峰のハム・ソーセージコンテストSUFFAで金賞を受賞した「ひばり工房」直営のカフェ。パリッとジューシーな自慢のソーセージを使ったホットドッグを頬張りながら、店内の窓から見える、まるで絵画のような阿蘇五岳の大パノラマを楽しもう。

▲あか牛のミートソースを使ったヒバリドッグ491円

☎0967-22-1894 住阿蘇市一の宮町中通640-1 ⏰11～17時 休火曜（不定休あり）交九州自動車道熊本ICから約40km P10台 MAP P125D2

こちらもおすすめ

- ・チーズドッグ 460円
- ・サイダー 390円
- ・ナガタ紅茶 380円

おいしい水が湧いてます

毎分60tの水量を誇る白川水源（しらかわすいげん）。うっとりするほど美しく、驚くほど軟らかく、まろやかな味わいの水が湧いています。
☎0967-67-1112（南阿蘇村企画観光課）MAP P125D4

昭和初期の洋裁学校にフランス雑貨がとけこむ

1 日本とフランスの古いものが融合した店内 2 緑に包まれたのどかな空間

北阿蘇

ていあん ていあん

TIEN TIEN

口あたり軽やかな絶品スイーツ

木枠の窓、色褪せた柱など、昭和初期の洋裁学校を改装した建物に、フランス製の雑貨や温かみのある家具が配された店内。落ち着きのある雰囲気のなかで味わいたいのは素材にこだわったクレームブリュレ。甘すぎず、上品な味。厳選された豆を使用したコーヒーと一緒に味わいたい。

▲ケーキはドリンクとのセットで1100円

☎080-6406-8133 住阿蘇市一の宮町宮地3204 ⏰11時30分～16時30分LO 休水・木曜 交九州自動車道熊本ICから約41km P複数台（周辺店舗と共用駐車場あり）MAP P125D2

こちらもおすすめ

- コーヒー　600円
- そば粉のガレット　2200円
- あか牛粗挽ミンチのスパイスカレー　2200円

開放感に包まれながら、自家製パンを味わおう！

1 木々に囲まれたさわやかなパン工房&カフェ 2 店内からの眺めが素晴らしい

南阿蘇

さとのぱんこうぼう ぐらんつむーと

郷のパン工房 グランツムート

焼き立てパンをその場で

パン工房に併設されたカフェ。国産小麦や新鮮卵を使用した、無添加、無着色の焼き立てパンで作るホットドッグや、自家製ベーコンのバゲットサンドなど、パンメニューが充実。木を基調としたガラス張りの店内からは阿蘇五岳を望み、絶景を眺めながら食事が楽しめる。

▲ホットドッグ428円は、テイクアウトもOK！

☎0967-67-3231 住南阿蘇村久石2752-1 ⏰10～19時 休水曜（祝日の場合は営業）交九州自動車道益城熊本空港ICから約40km P10台 MAP P124C4

こちらもおすすめ

- ベーコンサンド　428円
- フレッシュフルーツと阿蘇ミルク　620円
- ハンバーグサンド　416円

阿蘇ならではの絶景スポットや動物たちとふれ合う遊び場へ

阿蘇五岳を望む絶景スポットや、動物たちが待っている牧場、自然のなかの健康テーマパークなど、大人も子どもも楽しめる遊び場が充実。

北阿蘇

だいかんぼう

大観峰

標高936m。阿蘇の自然を360度の大パノラマで見渡せる絶好のビュースポット。展望台からは、涅槃像ともよばれる阿蘇五岳が見渡せる。

☎0967-32-3856(大観峰茶店) 住阿蘇市山田端辺 ¥休散策自由 交九州自動車道熊本ICから約43km P200台 MAP P125D1

悠然と横たわる壮麗な阿蘇五岳は息をのむ美しさ

▲眼下に阿蘇谷、正面に阿蘇五岳、背後にくじゅう連山がそびえる

▲3つの石碑は、写真スポット(上)。設置された望遠鏡からは阿蘇谷を見ることができる(下)

南阿蘇

らくのうまざーず あそみるくぼくじょう

らくのうマザーズ阿蘇ミルク牧場

熊本平野を一望する高台にある牧場。約33万㎡もの敷地では、牛やヤギ、羊、ポニー、犬などさまざまな動物たちが待っている。

☎096-292-2100 住西原村河原3944-1 ¥入場500円 ⏰10〜17時 休無休(12〜2月は休業あり、要問合せ) 交九州自動車道益城熊本空港ICから約15km P1000台 MAP P124B4

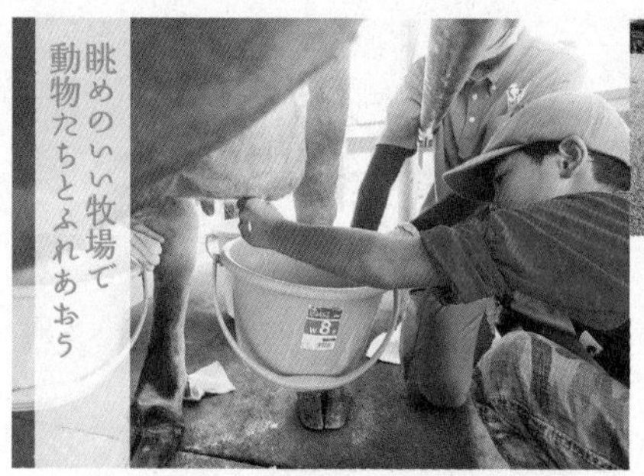

眺めのいい牧場で動物たちとふれあおう

▲らくのう体験ステージで行われる乳しぼり(300円・牛乳200mℓ付き)

▲ヤギや羊にエサやりもできる(体験料100円)

◀まきばのソフトクリーム400円

南阿蘇

あそげんきのもり・あそふぁーむらんど

阿蘇元気の森・阿蘇ファームランド

大自然に囲まれた健康増進パーク。広大な敷地には、遊びながら楽しく運動ができる「元気の森」や「ふれあい動物王国」などがある。

☎0967-67-2100 住南阿蘇村河陽5579-3 ¥入園無料(有料施設あり) ⏰9〜17時(施設により異なる) 休無休 交九州自動車道熊本ICから約30km P2500台 MAP P124C3

子どもからお年寄りまで楽しめる健康がテーマの施設

▲凸凹にタッチしながら上る「嘆きの登り口」は下半身ストレッチに最適

▲SNSで人気のビーバーなど約30種以上の動物たちに会える

◀阿蘇の自然を眺めながら味わう自然派バイキング

阿蘇の こだわりみやげ

新鮮な牛乳や野菜から作られる
阿蘇ならではの特産品や
こだわりのパンをどうぞ！

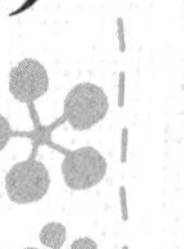

南阿蘇

めるころぱんこうぼう
めるころパン工房

こだわりのパンが並ぶ

ルヴァン種の自家製天然酵母を使用したハード系のパンをはじめ、菓子パンやサンドイッチなど、素材にこだわったパンが人気。常時50～60種が店頭に並ぶ。DATA☎0967-67-2056 住南阿蘇村河陽3765 ⏰9～17時 休水・木曜 交九州自動車道益城熊本空港ICから車で約46km P20台 MAP P124C3

▲国産小麦と石臼挽きのライ麦で作った生地に山ぶどうがたっぷり入った山ぶどうパン1/2カット490円

北阿蘇

かんな
柑七

やさしい味わいのパンが揃う

レトロな木製のショーケースに、やさしい味わいのパンが並ぶ。食パン、サンドイッチ、ケーキ、焼き菓子など、品揃えも豊富だ。カフェも併設。DATA☎0967-22-8817 住阿蘇市一の宮町宮地2321-5 ⏰10～18時 休土～月曜 交九州自動車道熊本ICから車で約40km P3台 MAP P125D2

▲自家米を製粉したこだわりの米粉を使用したもちもち食感のベーグル各180円は、常時6種揃う（写真はクルミ）

北阿蘇

しきさいいちのみや
四季彩いちのみや

阿蘇の味覚が満載！

阿蘇の山並みを見渡す場所にある物産館。新鮮野菜や地元産の牛乳、スイーツ、地元の人たちが作ったまんじゅうや惣菜なども並び、いつも賑やか。ドライブ途中に立ち寄ろう！ DATA☎0967-35-4155 住阿蘇市一の宮町宮地538-1 ⏰9～18時（1～3月は～17時）休無休 交九州自動車道熊本ICから車で約41km P80台 MAP P125D2

▲手作りのいきなり団子5個入り500～600円

北阿蘇

みちのえきあそ
道の駅阿蘇

阿蘇の名物が一堂に！

観光案内所も併設しており、阿蘇観光の拠点としても利用したい道の駅。阿蘇市の名店スイーツやパンが大集合。人気は、阿部牧場や竹原牧場のミルクソフト各430円など。DATA☎0967-35-5088 住阿蘇市黒川1440-1 ⏰9～18時（季節により変動あり）休無休 交九州自動車道熊本ICから車で約35km P164台 MAP P125D2

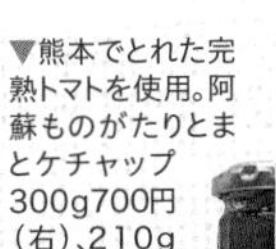

▼熊本でとれた完熟トマトを使用。阿蘇ものがたりとまとケチャップ300g700円（右）、210g525円（左）

南阿蘇

みちのえきあそぼうのさとくぎの あじわいかん
道の駅あそ望の郷くぎの あじわい館

食事処も併設する充実の道の駅

芝生広場があり、買った商品をピクニック気分で楽しめる。地元の素材で作ったジェラートなど、スイーツも充実。阿蘇を一望する食事処も併設。DATA☎0967-67-3010 住南阿蘇村久石2801 ⏰9～17時 休第2水曜、不定休（繁忙期は無休）交九州自動車道益城熊本空港ICから車で約32km P250台 MAP P124C4

▲南阿蘇の無農薬栽培ハーブやフルーツを使用した紅茶各270円

ここもCHECK！ ランチスポット 阿蘇の絶景を楽しみながら、ひと休み

くさせんりしょくどう
草千里食堂

草千里の大パノラマを望む

「ニュー草千里」内にある展望レストラン。名物あか牛を使った料理や熊本・阿蘇の郷土料理などが味わえる。DATA☎0967-34-0131 住阿蘇市永草2391-15 ⏰11時～14時30分LO 休不定休 交九州自動車道熊本ICから約46km P草千里駐車場利用300台（1日500円）MAP P124C3

▲あか牛丼2700円

あそだいかんぼうちゃてん
阿蘇大観峰茶店

ドライブ途中に名物スイーツを！

大観峰にある地元素材のメニューが楽しめる食堂。阿蘇小国ジャージー牛の牛乳を使った限定手作りソフトなど、スイーツ類も要チェック！ DATA☎0967-32-3856 住阿蘇市山田2090-8 ⏰8時30分～17時 休無休 交九州自動車道熊本ICから車で約43km P300台 MAP P125D1

▲手作りのプリンソフト450円

まずは目的地の玄関口へアクセスしましょう

玄関口となるのは、湯布院へは「大分(別府)」、黒川・阿蘇へは「熊本」です。
本州各地からは、九州全体の玄関口となる「福岡空港」を利用する方法もあります。

各地から湯布院・別府・黒川・阿蘇の玄関口へ

2024年6月現在

出発地		交通手段	所要時間・便数／料金	到着地
東京から	羽田空港	ANA・JAL・SFJ・SKY	1時間50分～2時間／56便	福岡空港
	羽田空港	ANA・JAL・SNA	1時間35～45分／13便	大分空港
	羽田空港	ANA・JAL・SNA	1時間45～55分／17便	阿蘇くまもと空港
	東京駅	新幹線「のぞみ」 小倉駅乗換え JR特急「ソニック」	6時間16分／2万6690円	別府駅
	東京駅	新幹線「のぞみ」 博多駅乗換え 新幹線「みずほ」「さくら」「つばめ」	5時間50分／2万8050円	熊本駅
名古屋から	中部空港	ANA・SFJ・IBX・ORC・JJP	1時間25～30分／12便	福岡空港
	中部空港	ANA・IBX	1時間10分／2便	大分空港
	中部空港	ANA	1時間20～25分／2便	阿蘇くまもと空港
	小牧空港	JAL・FDA	1時間25分／4便	福岡空港
	小牧空港	JAL・FDA	1時間25分／4便	阿蘇くまもと空港
	名古屋駅	新幹線「のぞみ」 小倉駅乗換え JR特急「ソニック」	4時間38分／2万1510円	別府駅
	名古屋駅	新幹線「のぞみ」 博多駅乗換え 新幹線「みずほ」「さくら」「つばめ」	4時間12分／2万3940円	熊本駅
大阪から	伊丹空港	ANA・JAL・IBX	1時間15～20分／9便	福岡空港
	伊丹空港	ANA・JAL・IBX	55分～1時間／7便	大分空港
	伊丹空港	ANA・JAL・AMX	1時間10～40分／11便	阿蘇くまもと空港
	関西空港	APJ	1時間15分／4便	福岡空港
	新大阪駅	新幹線「のぞみ」「みずほ」 小倉駅乗換え JR特急「ソニック」	3時間46分／1万8790円	別府駅
	新大阪駅	新幹線「みずほ」「さくら」 博多駅で新幹線「のぞみ」から「さくら」「つばめ」への乗換え含む	みずほ＝3時間04分／1万9620円、 さくら＝3時間17分／1万8880円	熊本駅

※所要時間はおよその目安で、利用する会社や便により異なります。また、乗り換えのある鉄道ルートは乗換え時間も含みます。
※航空のねだんは、搭乗日、利用する便や航空会社の空席予測などで変わります。詳しくは、各社のホームページでご確認ください。
※鉄道のねだんは、乗車券(片道)と普通車指定席利用の新幹線・特急料金(通常期)を合計したものです。

プランニングのヒント

まずは旅の玄関口へ

飛行機は福岡・大分・熊本各空港へ
鉄道は別府・由布院・阿蘇の各駅へ

福岡空港へは全国各地からフライトがあり、湯布院、別府、黒川、熊本への直行高速バスが出ている。関西からは新幹線利用も便利。熊本へ、みずほ・さくらが直通、別府へは小倉で特急ソニックに乗り換える。

どれでアクセスする?

飛行機は便数やねだんに応じて
関西方面からは鉄道もおすすめ

飛行機は、大手航空会社かLCCかでサービスやねだんが大きく違う。また、LCCは便数が限られるため、予定をよく考えて選びたい。関西方面からは、本数が多く自由席もある新幹線の利用がベターだ。

お得なチケット・きっぷは?

飛行機は各種割引をチェック
JRのレール&レンタカーも便利

大手はスーパーバリュー(ANA)やスペシャルセイバー(JAL)など、予約が早いほど割安に。LCCはネットで会社や便を比較して安い便を探そう。往復のJRチケットが割引になる「レール&レンタカーきっぷ」もお得だ。

各地から九州の玄関口へのアクセスマップ

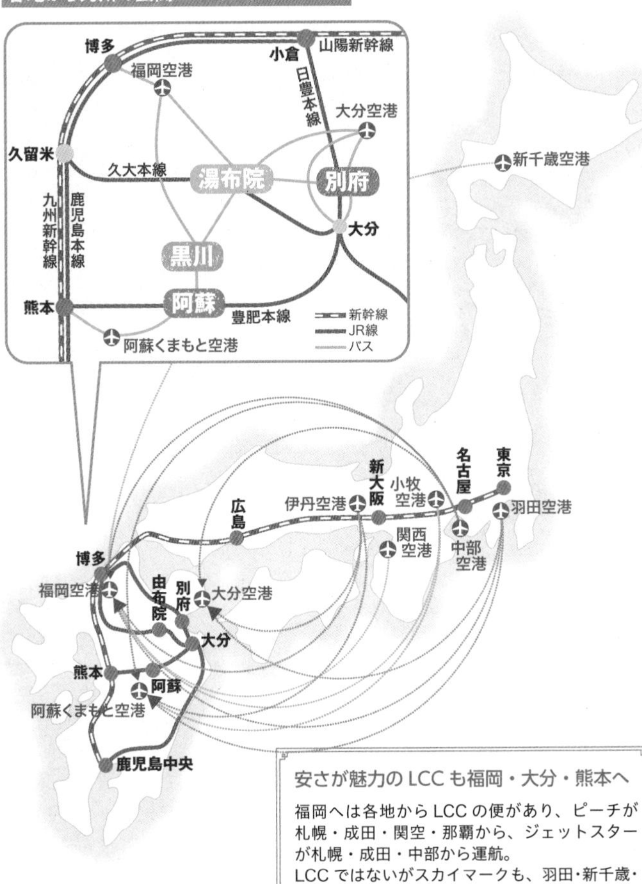

安さが魅力のLCCも福岡・大分・熊本へ

福岡へは各地からLCCの便があり、ピーチが札幌・成田・関空・那覇から、ジェットスターが札幌・成田・中部から運航。
LCCではないがスカイマークも、羽田・新千歳・茨城・那覇から割安の運賃で運航している。

☎問合せ一覧

航空会社

●ANA(全日空)
☎0570-029-222
●JAL(日本航空)
☎0570-025-071
●IBX(アイベックスエアラインズ)
☎0570-057-489
●SNA(ソラシドエア)
☎0570-037-283
●SFJ(スターフライヤー)
☎0570-07-3200
●SKY(スカイマーク)
☎0570-039-283
●FDA(フジドリームエアラインズ)
☎0570-55-0489
●AMX(天草エアライン)
☎0969-34-1515
●APJ(ピーチ)
☎0570-001-292
●JJP(ジェットスター)
☎0570-550-538

鉄道会社

●JR東海
☎050-3772-3910
●JR西日本
☎0570-00-2486
●JR九州
☎0570-04-1717

バス会社

●西鉄バス
(問合せ)☎0570-00-1010
(九州高速バス予約センター)
☎092-734-2727
●日田バス(日田バスターミナル)
☎0973-22-7681
●亀の井バス
(問合せ)☎0977-23-0141
(予　約)☎0977-25-3220
●大分交通
(問合せ)☎097-534-7455
(予　約)☎097-536-3655
●大分バス
(問合せ)☎097-532-7000
(予　約)☎097-536-3371
●九州産交バス
☎0570-09-3533

湯布院・別府・黒川・阿蘇へ移動しましょう

各玄関口へ到着したら、目指す目的地のエリアへ向かいましょう。
目的地への交通はバスがメイン。湯布院、別府へは鉄道も利用できます。

玄関口から各エリアへ

2024年6月現在

エリア	出発地	交通	所要時間／料金	到着地
湯布院へ	福岡空港（国際線T）	西鉄バス・日田バス・亀の井バス 《ゆふいん号》【予約制】／1日13便	1時間39〜51分／3250円 国際線Tへは国内線T前から無料連絡バスを利用	由布院駅前BC
湯布院へ	大分空港	大分交通・亀の井バス／1日6便	55分／2000円	由布院駅前BC
湯布院へ	阿蘇くまもと空港	九州産交バス 《九州横断バス》【予約制】／1日3便	3時間24分／4100円	由布院駅前BC
湯布院へ	博多BT	西鉄バス・日田バス・亀の井バス 《ゆふいん号》【予約制】／1日13便	1時間59分〜2時間11分／3250円	由布院駅前BC
湯布院へ	別府駅前（東口）	亀の井バス 観光快速バス《ゆふりん》 ／平日1日1便・土休日1日6便	1時間08分／1100円	由布院駅前BC
湯布院へ	別府駅西口	亀の井バス／1日15〜16便	52分／1100円	由布院駅前BC
湯布院へ	熊本駅前	九州産交バス 《九州横断バス》【予約制】／1日3便	4時間20分／4600円	由布院駅前BC
湯布院へ	博多駅	JR特急「ゆふいんの森」「ゆふ」／1日6本	2時間18分／5690円（「ゆふ」は5190円）	由布院駅
別府へ	大分空港	大分交通 ／1時間に1〜4便	47〜50分／1500円	別府北浜
別府へ	博多BT	西鉄バス・亀の井バス 《とよのくに号ノンストップ便》【予約制】／1日10便	2時間44分／3250円	別府北浜
別府へ	博多駅	JR特急「ソニック」「にちりんシーガイア」／1時間に2本	2時間04分／6470円	別府駅
黒川温泉へ	福岡空港（国際線T）	日田バス・九州産交バス 高速バス【予約制】／1日3便	2時間16分／3470円 国際線Tへは国内線Tから無料連絡バスを利用	黒川温泉
黒川温泉へ	阿蘇くまもと空港	九州産交バス 《九州横断バス》【予約制】／1日3便	1時間51分／2200円	黒川温泉
黒川温泉へ	博多BT	日田バス・九州産交バス 高速バス【予約制】／1日3便	2時間36分／3470円	黒川温泉
黒川温泉へ	別府駅前（駅前本町）	九州産交バス 《九州横断バス》【予約制】／1日1便	2時間33分／3300円	黒川温泉
黒川温泉へ	熊本駅前	九州産交バス 《九州横断バス》【予約制】／1日3便	2時間47分／2800円	黒川温泉
阿蘇へ	阿蘇くまもと空港	九州産交バス・大分バス 《特急やまびこ号》【予約制】／1日4便	43〜48分／1220円	阿蘇駅前
阿蘇へ	熊本駅前	九州産交バス・大分バス 《特急やまびこ号》【予約制】／1日4便	1時間43分〜48分／1530円	阿蘇駅前
阿蘇へ	大分駅前（要町）	大分バス・九州産交バス 《特急やまびこ号》【予約制】／1日4便	2時間19〜23分／2810円	阿蘇駅前
阿蘇へ	別府駅前（駅前本町）	九州産交バス 《九州横断バス》【予約制】／1日1便	3時間25分／3900円	阿蘇駅前

※T=ターミナル、BC=バスセンター、BT=バスターミナル　※所要時間はおよその目安で、利用する便により異なります。
※鉄道のねだんは、乗車券（片道）と普通車指定席利用の特急料金（通常期）を合計したものです。

現地移動のコツ

主な観光スポットへは？

現地での移動手段のメインはバス
区間によっては鉄道利用も手だ

玄関口の空港や駅と目的地のエリアを結ぶバスはそこそこ便数があるが、各エリア内の観光ポイントへのバスはそれほど多くはない。博多～由布院～大分～別府間や、熊本～大分～別府間には JR 特急も走っていて、エリア間の移動に利用できる。

おすすめの現地移動は？

展望良好な観光列車や
九州横断バスがおすすめ

JRの観光特急ゆふいんの森(☞P17)は全車ハイデッカーで車窓の眺望が自慢。やまなみハイウェイや阿蘇外輪山のすばらしい眺望を楽しめる、九州横断バスもおすすめ。別府～湯布院間の亀の井バスゆふりんは観光快速便でキャラクターバスで運行。

現地で使えるお得なきっぷは?

特急指定席利用の「2枚きっぷ」や
バス乗り放題の「SUNQパス」がお得

博多駅（福岡市内）～別府・大分駅間には特急「ソニック」の普通車指定席が利用できる「2 枚きっぷ」（片道 1 枚ずつでも往復でも使える）が利用できて便利。バスなら、本書エリア内を超えて高速バスも路線バスも乗り降り自由になる「SUNQ パス」北部九州版（9000 円）も便利だ。

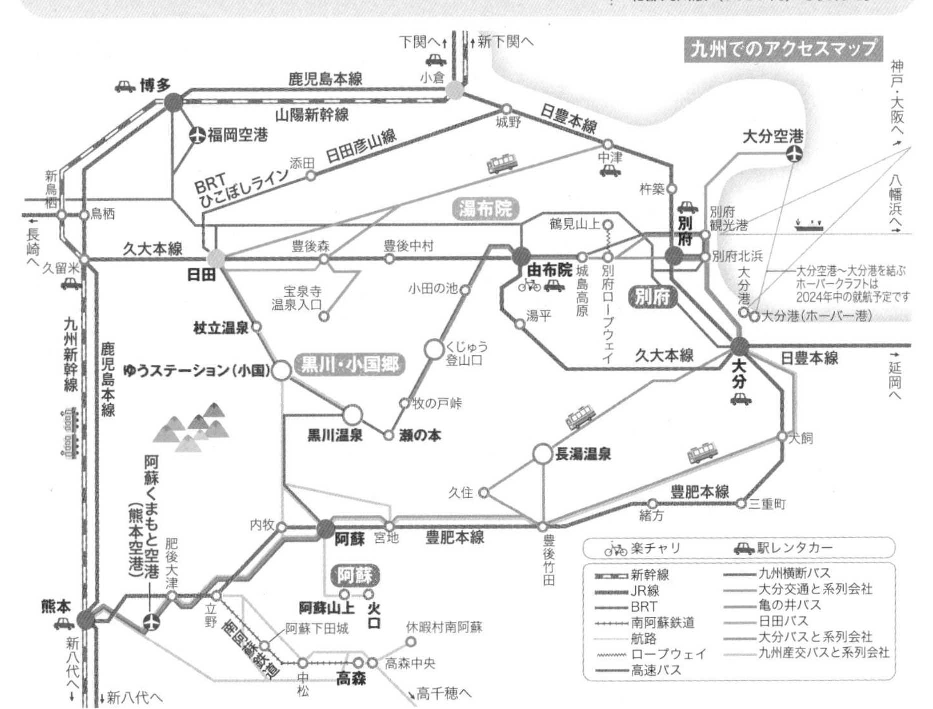

九州横断バスを利用しましょう

九州産交バスが運行する、熊本と別府を結ぶ特急バス。黒川温泉へ熊本や別府から直行できる唯一の足でもあり、阿蘇の外輪山や、やまなみハイウェイの雄大な車窓を満喫できる。阿蘇くまもと空港や阿蘇駅を経由するので、利用しやすい。座席定員制で予約が必要。

▲阿蘇の雄大な景色

■九州横断バス　所要時間・ねだん　2024年6月現在

おもな区間	所要時間	便数	ねだん
阿蘇駅前～黒川温泉	50分	1日3便	1300円
阿蘇駅前～由布院駅前BC	2時間23分	1日3便	3300円
黒川温泉～由布院駅前BC	1時間33分	1日3便	2200円
黒川温泉～別府駅前	2時間27分	1日1便	3300円

湯布院・別府・黒川のドライブガイド

九州内の道路は走りやすく、案内標識も整備されていてクルマでまわるのもおすすめです。飛行機や新幹線を利用し、空港や駅でレンタカーを借りるのもよいでしょう。

起点となる空港や駅から各地へ

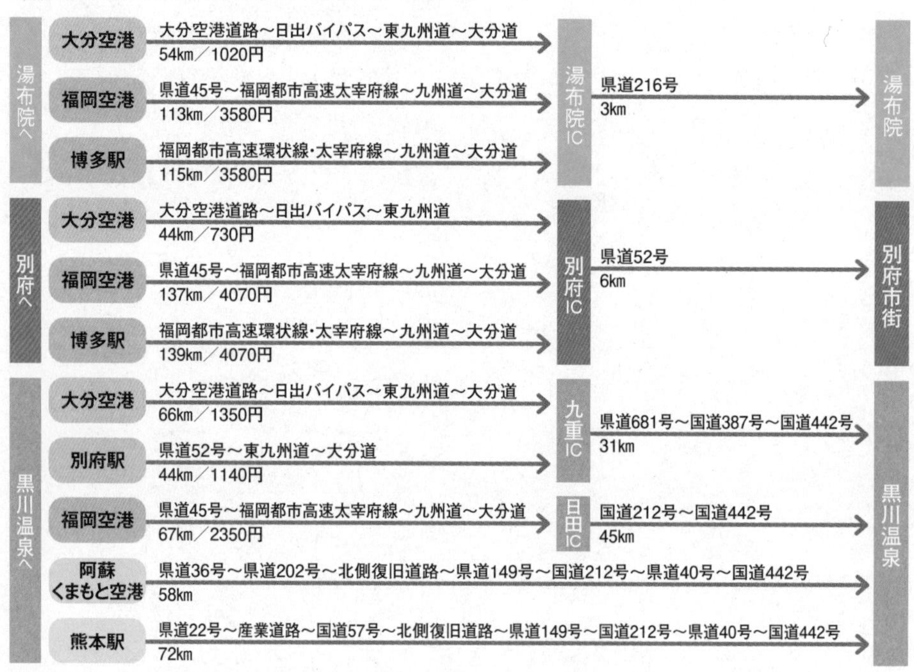

※各区間のルート・距離はおよその目安です。　※高速道路・有料道路のねだんは、普通車の通行料金です。

由布院から各地へ

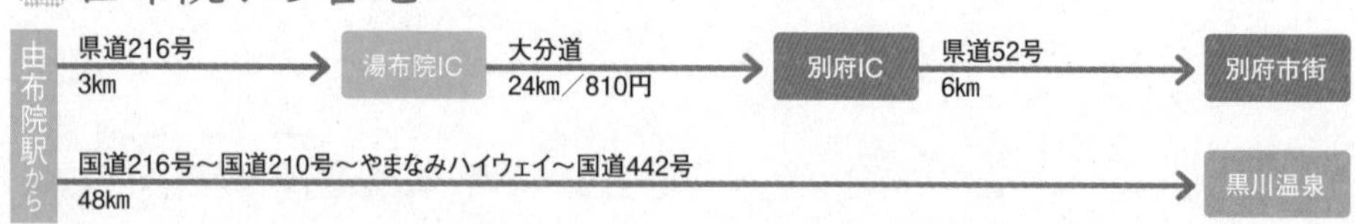

ドライブ移動のポイント

周遊プランの立て方は？

空港からのレンタカー利用がおすすめ
駅レンタカーのない駅も多いので注意

空港のレンタカー会社は、営業所が離れていて送迎車で案内する場合も多い。駅レンタカーは主要駅（大分駅・別府駅・由布院駅）にしかないので注意。

レンタカー利用の注意点は?

乗り捨て料金を考慮して
かしこく周遊プランを立てよう

レンタカーを借りた空港や駅とは異なる空港や駅で返すと、乗り捨て料金が必要になる。乗り捨て料金は会社により大きく異なるので要注意。航空便などが込みになった旅行商品だと、乗り捨て料金が無料の場合も。

レンタカーを借りる際の所要時間は?

空港によっては営業所が遠い場合も
返す時は時間に充分余裕をもって

空港ロビーに、レンタカー会社のカウンターがある。車を借りる営業所が空港から離れていても、1時間見ておけばOK。返す時は、搭乗手続きや保安検査の時間も見込んで、飛行機出発の最低2時間前までに営業所へ。

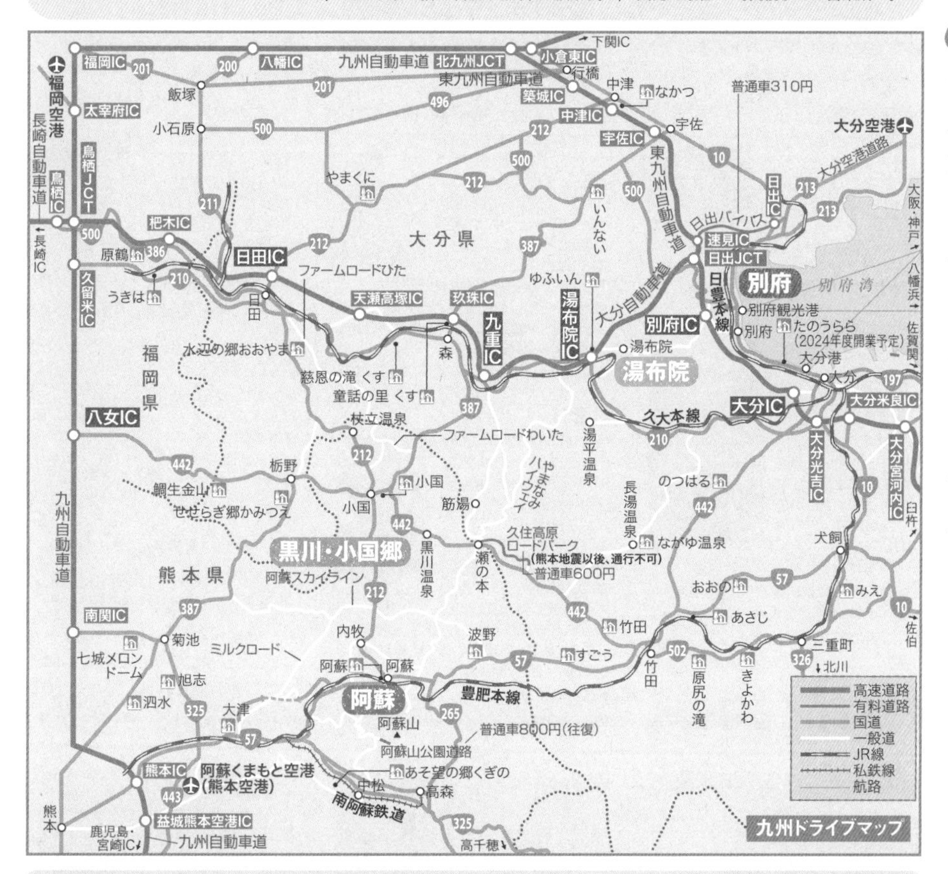

●航空券&レンタカーがおすすめです

航空会社のHPで航空券のネット予約をするとき、一緒にレンタカーの予約もできます。ヴィッツ・フィットなどのSクラスで24時間9000円～（免責補償料込み）が目安。ANAのほか、ソラシドエアやスカイマークにもお得なレンタカープランが用意されています。

●レール&レンタカーきっぷを活用しよう

あらかじめネットで駅レンタカーの予約をし、JR駅みどりの窓口で新幹線のチケットなどと一緒に駅レンタカー券を購入するシステム。Sクラスで12時間まで7590円～（免責補償料込み）。さらにJRのチケットの割引もあります。

●駅レンタカー　https://www.ekiren.co.jp

湯布院・別府・黒川・阿蘇の 知っておきたいエトセトラ

湯布院・別府・黒川・阿蘇に関する本や映画、イベントなどをご紹介します。
出かける前にチェックして、より楽しく充実した旅にしましょう。

読んでおきたい本

地元出身の著者が描くエッセイから絵本、小説まで、バラエティ豊かな4冊。観光名所も続々登場。

湯布院幻燈譜

湯布院を現在のような魅力ある温泉地に昇華させた立役者であり、亀の井別荘の主の著者。その生活や家族、地域への想いを綴る。

海鳥社／1995年／中谷健太郎著／1870円(税込)

湯布院殺人事件

朝霧が包む湯布院を舞台に繰り広げられる旅情ミステリー。犯罪心理学者の主人公がフルムーン旅行先で連続殺人事件を暴く。

講談社文庫／2009年／内田康夫著／576円(税込)

万事オーライ 別府温泉を日本一にした男

別府の観光開発に尽力した実業家、油屋熊八の生涯を描いた歴史小説。"別府観光の父"とよばれた男の苦悩と奮闘を描く。

PHP研究所／2021年／植松三十里著／2090円(税込)

二百十日・野分

夏目漱石の中編小説。『二百十日』は阿蘇山に登る2人の男の会話体で書かれており、漱石の阿蘇登山の体験がもとになっている。

新潮文庫／1976年／夏目漱石著／506円(税込)

映画とドラマのロケ地

美しい自然が広がる湯布院や阿蘇はロケ地としても人気。なかでも話題を集めた3作品をご紹介。

風のハルカ　感謝祭スペシャル

ヒロインが幼少期を過ごした地として湯布院がロケ地となったNHK連続テレビ小説のスペシャル版。ヒロインが思い出の人や場所を訪ね歩く。

©2006 NHK

DVD3300円(NHKエンタープライズ ファミリー倶楽部限定販売)発行・販売元：NHKエンタープライズ／2006年／出演：村川絵梨／渡辺いっけい／脚本：大森美香

ココがロケ地です
金鱗湖 P18

恋空

平成18年(2006)に出版され話題となった美嘉のケータイ小説の映画化。高校生の主人公が恋に悩みながらも成長していく、切ない恋物語。東別府駅ほか、主に大分県内で撮影。

©2007 映画「恋空」製作委員会

DVDスタンダード・エディション 4180円、プレミアム・エディション(2枚組) 6270円 発売元：TBS／販売元：東宝／2007年／出演：新垣結衣／三浦春馬／監督：今井夏木

ココがロケ地です
東別府駅 MAP P120C4

黄泉がえり

熊本県阿蘇地方で死んだ人が蘇るという超常現象により人々の温かい思いやりが描き出されるヒューマン・ファンタジー。大観峰からの美しい景色は、夜明けを迎えるシーンで登場。

© 映画「黄泉がえり」製作委員会

DVD3080円 発売元：TBS／販売元：東宝／2002年／出演：草彅剛／竹内結子／監督：塩田明彦

ココがロケ地です 大観峰 P106

人気ローカル番組

最新の地域情報を届ける、各地のご当地番組。旬の情報をいち早くチェックするなら必見！

かぼすタイム

スタートしたのは平成7年(1995)4月という地域密着型の息の長い情報ワイド番組。大分県内のグルメやおでかけ、トレンド、エンターテインメントなど幅広く取り上げる。大分の特産品「かぼす」のようにフレッシュな情報が満載の生放送番組だ。

OBS大分放送／毎週土曜　9時25分～11時14分

週刊山崎くん

ゴールデンタイムで放送するご当地人気情報番組。ナビゲーターは熊本県出身の女優・宮崎美子さんと田名網駿一アナウンサー。番組名は本社がある山崎町という地名に由来している。

RKK熊本放送／毎週水曜19時～19時54分

大分・熊本のゆるキャラ

今や全国区の人気者、くまモンをはじめ、大分県のアイドルまで、熊本と大分の皆に愛されるご当地キャラクターをご紹介。

カボたん

大分かぼすのマスコット。県特産品であるかぼすがモチーフ。温泉に入ることが大好き。チャームポイントはおなかのハートマーク。

カボ0601R

くまモン

2011年ゆるキャラ®グランプリで1位に輝いた熊本県営業部長兼しあわせ部長。人気は全国区だ。

©2010熊本県くまモン

おいしい天然水

熊本は1000カ所以上の湧水に恵まれる水の都。名水百選に多く名を連ねる大分とともにおいしい水をご案内。

湯布院温泉水ゆふいん福万水

湯布院の大地、地下500mから湧く温泉水。硬度3の超軟水で甘くまろやか。温泉水に含まれる成分そのままの非加熱タイプ。500㎖160円。

ココで買える
道の駅ゆふいんなど MAP P116A3

黒川温泉 巡りん

くじゅう連山系の標高700mの地から湧きだす鉱泉水。動脈硬化を予防するといわれる成分、ケイ素を豊富に含む。500㎖150円。

ココで買える
黒川温泉旅館組合や商店など

白川水源の水

南阿蘇の湧水群のなかでも湧出量、おいしさともにNo.1といわれる白川水源の水をボトリング。非加熱殺菌でミネラル豊富。500㎖125円。

ココで買える
物産館「自然庵」MAP P125D4、道の駅あそ望の郷くぎの MAP P124C4

大分弁・熊本弁

語尾に「っちゃ」がつくのが特徴の大分弁。一方、熊本弁でよく耳にする「～なはる」「～しなっせ」は敬語表現。

●大分弁

よだきい …つかれた、めんどう
なしか …なぜだ
えらしい …かわいい
ぶーちゃん …水

●熊本弁

たいぎゃ・たいが …とても
うつくしか …きれいだ
せからしか …うるさい、やかましい
むぞらしか …かわいらしい

祭・イベント

旅がもっと楽しくなるおすすめイベント5つを厳選。変更の可能性あり、事前確認をして訪れたい。

4月上旬(予定)
別府八湯温泉まつり

100回以上開催の伝統ある温泉の恵みに感謝する祭り。扇山火まつりや湯ぶっかけ祭りなど内容多彩。
☎0977-24-2828(別府市観光協会) 主会場 別府市内各所 MAP P120A3

5月上旬～中旬
仙酔峡(せんすいきょう)のミヤマキリシマ

あまりに花が美しく仙人すら酔うことから名が付いたとされる仙酔峡。5月には約5万株のミヤマキリシマが山肌一面を埋めつくす。
☎0967-22-8181(一の宮インフォメーションセンター) ※開花シーズンは☎0967-22-4187 主会場 仙酔峡 MAP P125D2・3

8月下旬
湯布院映画祭

昭和51年(1976)に始まった、歴史ある映画祭。前夜祭を含む4日間、テーマごとに上映。制作者と語り合える夜のパーティーもお楽しみ。
☎097-532-2426 主会場 ゆふいんラックホール MAP P118B2

10月のスポーツの日
由布院牛喰い絶叫大会

牛のオーナーと飼育農家との交歓パーティがその起源。由布院育ちの豊後牛でバーベキューを楽しんだ後、大草原で叫ぶ。
☎0977-85-4464(由布院観光総合事務所) 主会場 並柳牧場 MAP P116B2

例年クリスマス時期
べっぷクリスマスファンタジア

音楽とシンクロした壮大な花火が2日間打ち上がる。小学生が歌うクリスマスソングの大合唱も感動的だ。

☎0977-24-2828(別府市観光協会) 主会場 スパビーチ MAP P120C3

パワースポット

恋愛運から金運、仕事運まで、行くだけで運気がアップするとウワサの5スポット。心静かに参拝しよう。

湯布院
大杵社(おおごしゃ)

宇奈岐日女神社の末社。境内でも強力なパワースポットとされるのが拝殿の隣にある杉の木。根元の周囲は約14m、幹の高さは約35mの巨木で、樹齢は1000年超え。

☎なし 住 湯布院町川南746-19 MAP P116B4

湯布院
宇奈岐日女神社(うなぎひめじんじゃ)

宇奈岐日女神社の大神が、湖だったこの地を力自慢の道臣命に命じ、湖の壁を蹴破らせて田畑を開いたという伝説が残り、農業の神、水神さまとして地元の人々に親しまれている。

DATA☞P42

別府
八幡朝見神社(はちまんあさみじんじゃ)

建久7年(1196)創建。別府の総鎮守、別府温泉の守護神として鎮座する。参道にそびえる樹齢約500年の夫婦杉は、2本の間をふたりで通ると結ばれるとか。

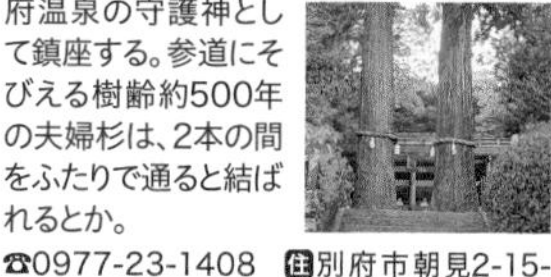

☎0977-23-1408 住 別府市朝見2-15-19 MAP P120B4

阿蘇
阿蘇神社(あそじんじゃ)

家族神12神を祀り、2000年以上の歴史をもつ、全国約500社ある阿蘇神社の総本社。平成28年(2016)の熊本地震で被害を受けたが、2022年末に復旧を終えた。

☎0967-22-0064 住 阿蘇市一の宮町宮地3083 MAP P125D2

阿蘇
宝来宝来神社(ほぎほぎじんじゃ)

南阿蘇の俵山峠に近い山中に位置し、宝くじ当選にご利益があると噂の神社で、ご神体は当銭岩という巨岩。このほか、悪縁切りの布袋様や大龍神などが控える。

☎0967-67-3361 住 南阿蘇村河陰2909-2 MAP P124C4

安心院へ
国道387号へ
深見ダム
宇佐市
安心院へ
P.53 みるく村レ・ビラージュ
安心院町寒水
塚原牧場
玖珠郡
玖珠町
堀原
日向山
立石山
1059
秋山
P.53 オニパンカフェ
山荘 四季庵
法光寺
元勝寺
塚原小
日出生
湯布院町川上
坂山
霧嶋神社
P.53 珈琲 木馬
匙屋 P.53
飛岳
925
由布市
福万山
1236
若杉防災ダム
由布院牛喰い絶叫大会
P.115
並柳牧場
由布岳（豊後富士）
1583
若杉
ゆふいん月燈庵 P.51
池ノ台
界 由布院 P.47
湯富里の宿 一壷天 P.49
湯布院町川北
福万山トンネル
並柳
鳥越 P.24
キリシタン墓地
湯の坪川
白滝川
湯布院町川上
湯布高原GC
P.34 Bar Barolo
P.48 おやど二本の葦束
荒木
岳本
神崎神社
東急湯布高原
由布の御宿 山もみじ
湯の坪
湯の坪街道 P.20
金鱗湖 P.18
P.47 朝霧の みえる宿 ゆふいん花由
荒木
乙丸
市役所湯布院庁舎
コナラ原生林
P.29 榛の丘
由布の彩 おおはし
由布院駅前BC
P.115 道の駅 ゆふいん
湯布院入口
由布院駅
湯布院福祉センター
P118-119 湯布院中心部
豊後森へ
湯布院 スポーツ センター
長因寺
明蓮寺
P.50 ゆふいん フローラハウス
津江
中の原
湯布院 I.C入口
湯布院
宮川
湯布院中
日野病院前
山荘 わらび野
湯布院町川南
やまなみハイウェイ
日田駅へ
大分自動車道
雨乞牧場
久大本線（ゆふ高原線）
ゆふいん文学の森 P.42
山のホテル 夢想園 P.46
光永
優夏月
由布のお宿 ほたる
湯布院町川北
平
大杵社 P.115
九重ICへ
宮地へ
大分川
御宿たまゆら
中依
中依
倉木山
湯布院町川西
南由布駅
旧日野医院
桑屋
蔓薌萱
南由布駅前
湯平へ
湯平駅へ
西蓮寺
江藤農園
P.30へ

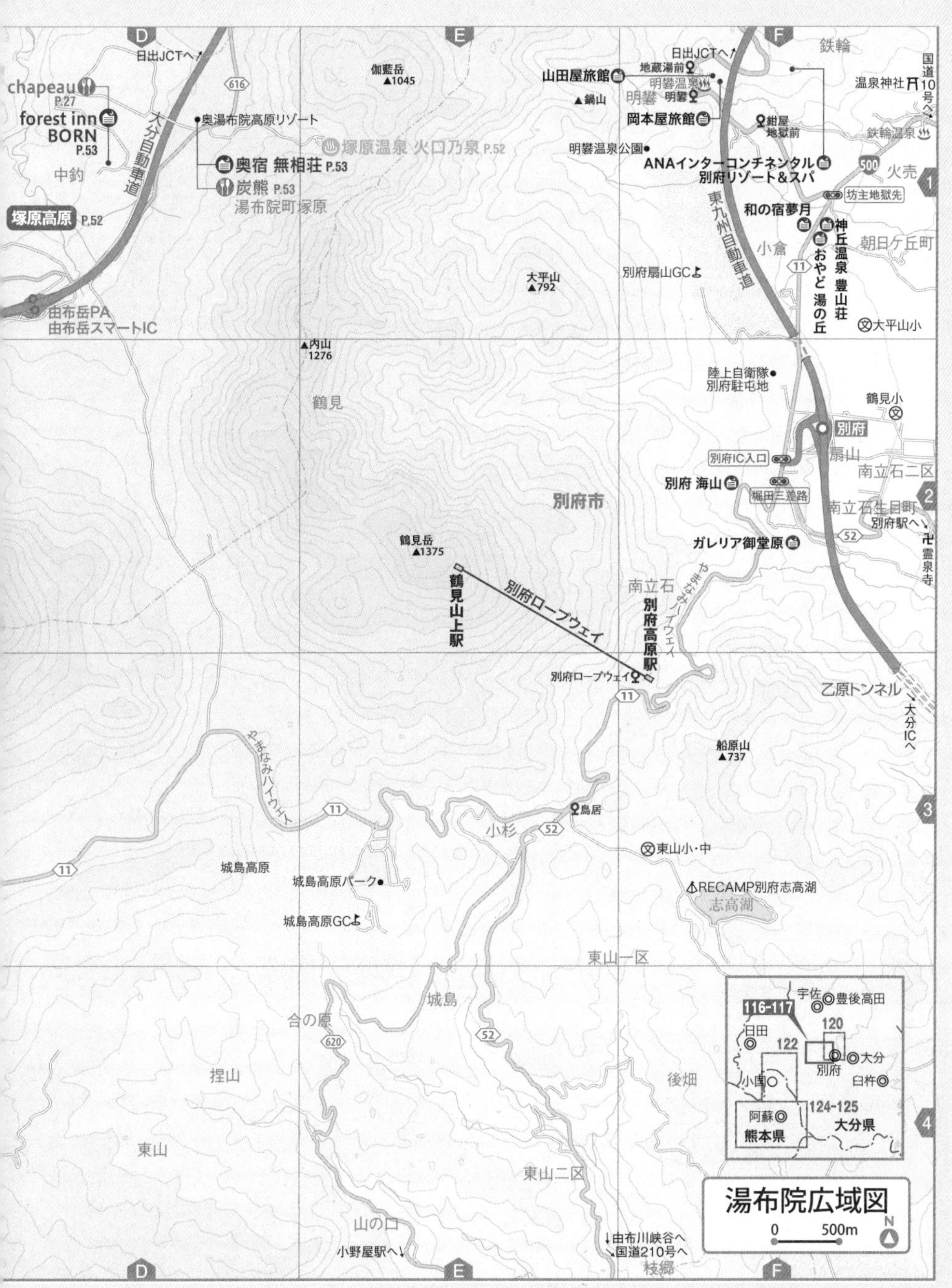

湯布院MAP●湯布院広域図

La Verveine P.29
抹茶ジェラートtelato P.20
CARANDONEL P.20
P.51 御宿 ゆふいん亭
P.38 湯布院 ゆふふ
P.115 湯布院映画祭
P.39 こちょぱん
P.50 由布院 山ぼうし
B-speak P.38
草庵秋桜 四季工房 P.31
湯らり 六妙
ジャム工房 kotokotoya P.21
P.40 地酒の店 はかり屋
離れ宿 古都の花心
P.43 日本茶 5toku
湯布院かほりの郷 はな村
P.28 由布まぶし心
P.43 JR由布院駅のあし湯
nico ドーナツ P.20
Bar Stir P.35
シティーホテル ビッグベアー
P.22 由布院駅 アートホール
由布院駅
P.37 一休商店
P.41 赤司菓子舗 由布院駅前
P.42 陽だまり食堂
P.17 由布市ツーリストインフォメーションセンター（観光辻馬車・レンタサイクル）
P.21 ゆふいんチッキー
P.28 和食もみじ
P.43 銀の彩
湯布院 あかりの宿
WINEBAR Grange P.35
倶楽部 由布院
旅館しらたき
由布院つるのゆ
湯の坪街道
Siesta P.42
P.21 由布院ミルヒ
P.40 ジャズとようかん
P.23 COMICO
ART MUSEUM YUFUIN
P.33・40 鞠智
P.41 B.Bee's
日の春旅館
御宿由府両築
ゆのつぼ共同温泉
P.44 由布院 玉の湯
P.32 ティールームニコル
P.34 ニコルズバー
由布院市 P.36・41
御宿天日
P.31 イオン湯布院店
由布院ことぶき花の庄
旅館百合
旅館玉屋
ゆふいん山水館
山紫御泊処 はなの舞
ペンション本綿恋記
湯布院福祉センター
御宿陣の内
旅館おかえり
P.43 湯布院健康温泉館 クアージュゆふいん
P.39 Grand'ma & Grand'pa
湯布院やわらぎの郷 やどや
P.39 パン工房 まきのや
お宿 有楽
ゆるり
P.50 由布院 いよとみ
旅荘 牧場の家
P.49 由布院別邸 樹
湯布院旅の蔵
山荘田名加
旅館冨季の舎
ゆふいんホテル秀峰館
P.22・23 由布院ステンドグラス美術館
すみれこども園
はなせん
湯布院病院
P.37 箸屋一膳
旅館光の家
旅館めばえ荘
おやど開花亭
津江の庄
由布岳一望の宿美星
宇奈岐日女神社 P.42・115
竹聲館 P.43
湯布院 山荘 吾亦紅
柚富の郷 彩岳館 P.47
名苑と名水の宿 梅園
久大本線（ゆふ高原線）
日田駅へ
湯布院ICへ
見成寺
乙丸
川北
白滝川
大分川
新町
湯布院町川上
湯布院町川南
新町一
城橋
御幸橋
興禅院
東石松二
田中
足湯
津江の中道
台橋
日野病院前
東石松
屋敷橋
参宮通り
宮尻
石松三差路
西石松
鳴子谷川橋
別府へ
南由布へ
湯平駅・大分駅へ
スカーボロコース（フローラハウスまで）
陸上自衛隊湯布院駐屯地

湯布院MAP● 湯布院中心部

別府広域図

0 1km N

杵築市
宇佐市
日出町
別府市
大分市
由布市
別府湾

別府GC
速見ICへ
尼蔵嶽
速見ICへ
日出ICへ
豊岡第二トンネル
豊岡公園
日出ICへ
日出バイパス
暘谷駅
日出町役場
日出駅
小倉駅へ
八日市
日出城址
日豊本線
東九州自動車道
覚正寺
豊後豊岡駅
豊岡トンネル
グランドメルキュール別府湾リゾート＆スパ
日出JCT
大分自動車道
陸上自衛隊十文字原演習場
温水公園
関の江海水浴場
十文字原公園
猫が岩山
湯布院ICへ
立命館アジア太平洋大
別府湾スマートIC
別府湾SA「玄林館」P.77
ANAインターコンチネンタル別府リゾート＆スパ P.78
十文字原高原
亀川温泉
亀川駅
新川橋
亀川新川
P.81 杜の湯リゾート
柴石温泉入口
血の池地獄前
血の池地獄
平田川
湯山クレー射撃場
P.64 別府温泉保養ランド
P.59
P121下 鉄輪温泉
湯けむり展望台 P.76
岡本屋旅館
山田屋旅館
地蔵湯前
明礬
伽藍岳
鍋山
明礬温泉公園
神丘温泉 豊山荘
温泉神社
西福寺
鬼の岩屋古墳
上人ケ浜
鉄輪温泉
P.58
鉄輪東公園
大学別府駅
AMANE RESORT SEIKAI P.79
六勝園・別府海浜砂湯前
紺屋地獄前
明礬温泉
P.73 SHABBY CHIC
火売神社
別府大
春木川
大分香りの博物館 P.76
おやど 湯の丘
和の宿夢月
別邸はる樹
九州横断道路入口
大藪
別府港
別府扇山GC
大平山（扇山）
やすらぎの宿由布
別府甘味茶屋 P.69
別府国際観光港
さんふらわあターミナル
さんふらわあターミナル前
P.69 冷麺・温麺専門店 胡月
竹細工伝産会館前
第2フェリーターミナル
陸上自衛隊別府駐屯地
別府八湯温泉まつり P.115
港中央通り
別府交通センター
P.68 レストラン東洋軒
別府
港駅 別府交通センター P.75
別府IC入口
匠晴の宿 心庵 P.79
別府 海山
境川
ガレリア御堂原
堀田三差路
P.65 アクアガーデン
鶴見岳 1375
霊泉寺
P.80 別府温泉杉乃井ホテル
霊泉寺
P121上 別府駅周辺
的ケ浜公園
べっぷクリスマスファンタジア P.115
日豊本線
別府ロープウェイ
別府市役所
やまなみハイウェイ
観海寺温泉
別府公園
スパビーチ
鶴見山上駅
別府タワー
竹と椿のお宿花べっぷ P.79
別府駅
別府温泉
cotake P.73
別府ロープウェイ
別府高原駅
朝見川
北浜公園
流川通り
SPICA P.73
乙原トンネル
別府つげ工芸 P.72
湯布院へ
船原山
P.76 別府ラクテンチ
グッドイン別府
乙原滝
べっぷ昭和園
浜脇公園
浜脇東浜公園
浜脇の長屋 P.67
鳥居
向平トンネル
向平山
吉備山
宝満寺
P.76 大分マリーンパレス水族館「うみたまご」
城島高原パーク
P.115 八幡朝見神社
東別府駅
RECAMP 別府志高湖
河内川
志高湖
P.77 コトリカフェ
国道210号へ
隠山トンネル
小鹿山
神楽女湖
P.76 高崎山自然動物園
大分駅へ
東町温泉 P.67
小野屋駅へ
P.71 茶房たかさき
八坂寺
高崎山
高崎山サル生息地
鳥越峠
鳥越トンネル
大分ICへ
銭瓶峠

宇佐
豊後高田
日田
別府
大分
120
122
116-117
臼杵
小国
124-125
阿蘇
熊本県
大分県

別府駅周辺
0 75m
徒歩約1分
くつろぎの温泉宿
山田別荘
P.81
日本キリスト教団
別府野口教会
野口元町
野口中町
千成
別府第一ホテル
P.65 別府駅前の手湯
ホテルフジヨシ
青山通り
P.75 別府銘品蔵
P.75 ボンマルセ
別府駅
駅西口
別府署
別府警察署前
平野通り
ビジネスホテル
スター
田の湯町
九日天通り
P.77 野田商店
P.77 べっぷ駅
市場
上田の湯町
公会堂前
不老泉
亀の井ホテル別府
流川6・不老泉
流川5
流川8
中村病院
光町
楠湯通り
日豊本線
べっぷ駅市場
P.61 春日温泉
海門寺温泉
駅前本町
ヤマダ電機
御宿野乃別府
P.72 エッチ美容室
別府ステーション
ホテル
駅前本町
定期観光
バス
ホテルSEA
WAVE別府
アーサー
P.61 駅前高等温泉
P.72 明石文昭堂
P.69 郷土料理居酒屋
こいのぼり
別府市
P.75 三味ざぼん店
P.67・73 SELECT BEPPU
西法寺
中央町
P.71 喫茶 ムムム
秋葉町
秋葉神社
大分駅へ
末広町
P.71 アホロートル
駅前通り
冷乳果工房
GENOVA P.77
P.76 チヨロ松
北浜(一)
北浜通り
新宮通り
やよいトリート
ソルパセオ銀座
豊後牛
ステーキの店
そむり
P.68
流川通り
流川4
流川2
P.77 海鮮
いづつ
楠町
楠銀天街
秋葉通り
千代町
中浜通り
亀川駅へ
立花通り
仲間通り
春日通り
本願寺
北浜(三)
北浜(二)
海門禅寺
海門寺公園
日出へ
別府タワー前
望海
シーサイドホテル
美松 大江亭
旅のお宿臨海
P.62 別府タワー展望台
海乃ホテル
はじめ
天空湯房
清海荘
べっぷ好楽
西鉄リゾートイン
別府
トキハ別府店
別府北浜
大江戸温泉物語
別府清風
サンライン別府
松亀荘
お食事処とよ常
本店 P.77
ホテルエール
ぎょうざ専門店 湖月 P.77
ニューツルタ
界 別府
P.80
北浜公園 P.66
平野資料館 P.62
野上本館
新宮通り入口
波止場神社
喫茶なつめ P.62
夜の竹瓦路地裏散策
集合場所
P.76
竹瓦温泉
P.60
元町
竹瓦小路 P.63
塩月堂老舗 P.63
流川通り
流川ゆめタウン前
ゆめタウン
別府
別府港北浜
ヨットハーバー
別府浜町
秋葉通り
大分へ
別府湾
鉄輪温泉
0 75m
徒歩約1分
温泉神社
蓮池
P.58 海地獄
地獄温泉ミュージアム
御幸
P.58 山地獄
坊主地獄の
足湯
鬼石の湯
鬼石坊主地獄
海地獄前
海地獄
鉄輪地獄地帯公園
神和苑
かまど
地獄
P.58
P.76 別府鉄輪
鬼山地獄
いでゆ
丸神屋
鉄輪
亀の井バス
成田山不動院
みゆき坂
湯けむりの宿
はなみずき
白池地獄
おにやまホテル
もと湯の宿
黒田や
温泉源
九州横断道路
鉄輪口
ホテル山水館
鉄輪温泉入口
信貴山別院宗園院
朝日
霊泉寺へ
稲荷神社
別府リハビリテーション入口
坊主地獄へ
別府ドッグラン
湯けむりの里東屋
癒しの宿彩葉
P.70 ここちカフェむすびの
P.71 与八郎Cafe&Sweets
みかさや
P.59 地獄蒸し工房
鉄輪
温泉閣
いでゆ坂
鉄輪むし湯
P.64
旅館筑新
上人湯
P.59 足湯
瑞光寺
湯けむり通
源泉湯元の宿
旅館 国東荘
P.81 湯快リゾートプレミアム
ホテル風月
P.65 ひょうたん温泉
湯屋
夢たまて宮
北中
別府山香線
鉄輪温泉東口
西福寺
熱の湯
すじ湯温泉
鉄輪温泉
(大分交通バス)
旅館アサヒヤ
大師湯
器
地獄原温泉
地獄原・
ひょうたん
温泉
亀川へ
国道10号へ
砂原

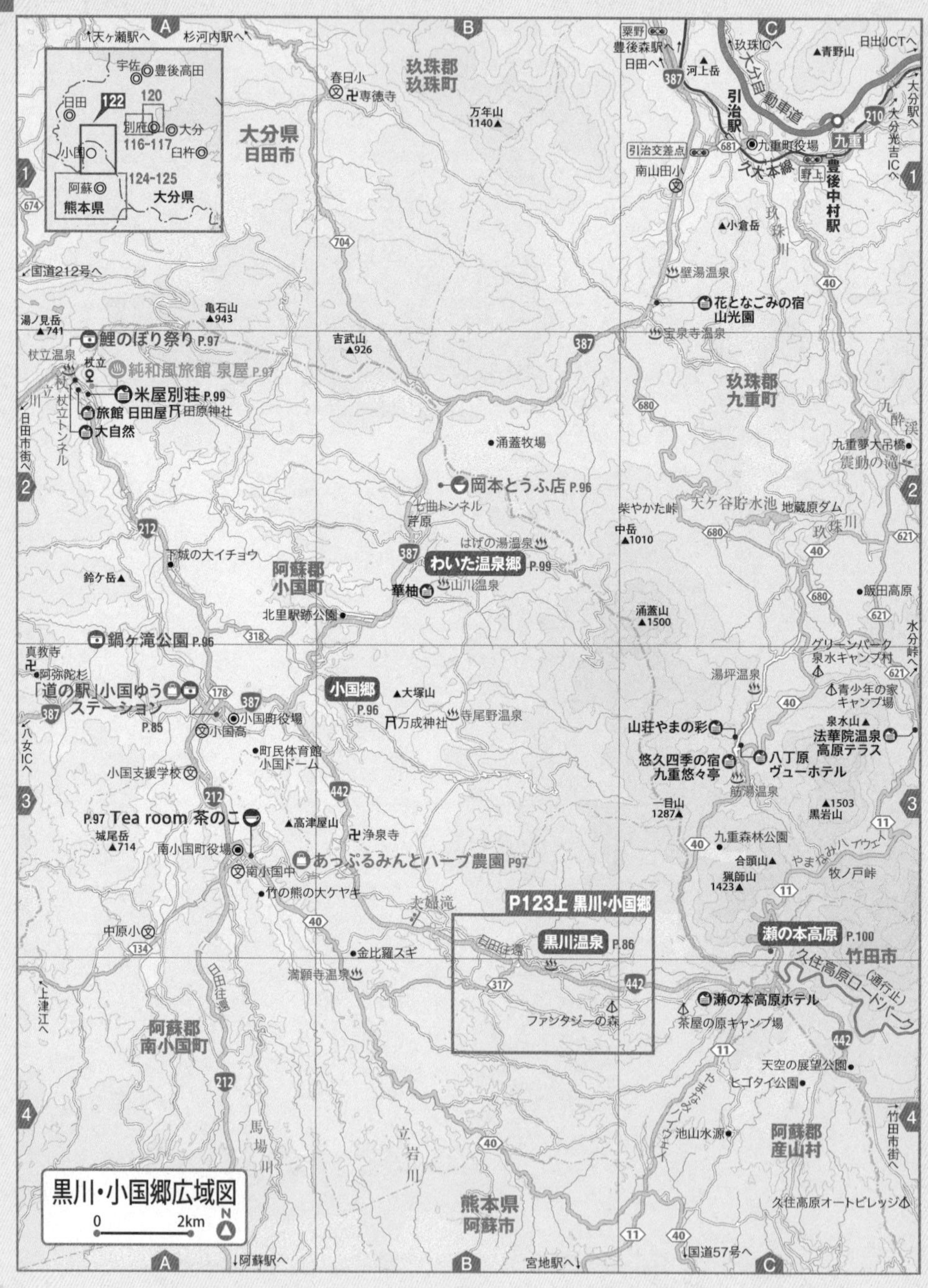
黒川・小国郷広域図
0
2km
N
大分県
日田市
玖珠郡
玖珠町
玖珠郡
九重町
阿蘇郡
小国町
阿蘇郡
南小国町
熊本県
阿蘇市
阿蘇郡
産山村
竹田市
鯉のぼり祭り P.97
純和風旅館 泉屋 P.97
米屋別荘 P.99
旅館 日田屋
大自然
鍋ヶ滝公園 P.96
「道の駅」小国ゆうステーション P.85
Tea room 茶のこ P.97
あっぷるみんとハーブ農園 P97
岡本とうふ店 P.96
わいた温泉郷 P.99
華柚
小国郷 P.96
P123上 黒川・小国郷
黒川温泉 P.86
花となごみの宿 山光園
山荘やまの彩
悠久四季の宿 九重悠々亭
八丁原 ヴューホテル
法華院温泉 高原テラス
瀬の本高原 P.100
瀬の本高原ホテル
引治駅
豊後中村駅
久大本線
大分自動車道
九重町役場
小国町役場
南小国町役場
万年山 1140
亀石山 943
吉武山 926
湧蓋山 1500
中岳 1010
一目山 1287
猟師山 1423
黒岩山 1503
城尾岳 714
湯ノ見岳 741
杖立温泉
壁湯温泉
宝泉寺温泉
はげの湯温泉
山川温泉
寺尾野温泉
湯坪温泉
筋湯温泉
満願寺温泉
九重夢大吊橋
震動の滝
天ヶ谷貯水池
地蔵原ダム
グリーンパーク泉水キャンプ村
青少年の家キャンプ場
茶屋の原キャンプ場
ファンタジーの森
久住高原オートビレッジ
天空の展望公園
ヒゴタイ公園
池山水源
九重森林公園
やまなみハイウェイ
久住高原ロードパーク(通行止)
牧ノ戸峠
豊後森駅へ
日田へ
天ヶ瀬駅へ
杉河内駅へ
玖珠ICへ
日出JCTへ
大分駅へ
大分光吉ICへ
国道212号へ
日田市街へ
八女ICへ
上津江へ
阿蘇駅へ
宮地駅へ
国道57号へ
竹田市街へ
水分峠へ

P123下 黒川温泉
P.95 平野台高原展望所
そば屋 沙羅 P.90
流憩園
薬師温泉入口
黒川荘 P.94
旅館 山河 P.89
日田往還
りんどうヶ丘小
満願寺
P.86 黒川温泉
黒川温泉
黒川
旅館 奥の湯
山あいの宿山みず木
深山山荘
いやしの里 樹やしき P.95
里の湯 和らく P.95
黒川バイパス
瀬の本高原・竹田市街へ
おた里の湯 彩の庄
小田
満願寺温泉へ
小田温泉
P.99 静寂な森の宿 山しのぶ
下鶴
ファンタジーの森
奥満願寺温泉
白川入口
P.98 夫婦露天風呂の宿 藤のや
白川
白川温泉
華匠庵
熊本県 阿蘇郡 南小国町
小田川
田の原川
田ノ原
小国へ
田の原
黒川・小国郷
徒歩約4分
吉原
黒川温泉
徒歩約1分
黒川温泉 旅館 壱の井
P.93 黒川どら焼き家 どらどら
登りたい坂
いご坂 P.87
とうふ 吉祥 P.90
お宿のし湯
和風旅館 美里 P.89
Kurokawa Onsen 湯旅屋 黒川堂 P.93
黒川駐在所
P.92 ふくろく
後藤酒店 P.93
満願寺
さくら通り
下川端通り
地蔵堂 P.87
風の舎 P.87・93
南城苑
旅館にしむら
P.91 パティスリー麓
P.94 ふもと旅館
地蔵湯
やまびこ旅館
べっちん坂 P.87
穴湯
御客屋
いこい旅館 P.88・92
湯峡の響き優彩
黒川橋
田の原川
P.91 湯音
P.95 山の宿新明館
ふじ屋
上川端通り
やまびこ旅館
旅館やまの湯
丸鈴橋 P.87
瀬の本館夢龍胆
旅館わかば P.88・92
旅館やまの湯(足湯) P.87
わろく屋 P.90・91
白玉っ子甘味茶屋 P.91
東黒川
黒川温泉
竹田市街へ
九州歴史街道
小国へ
あじさい通り
黒川温泉

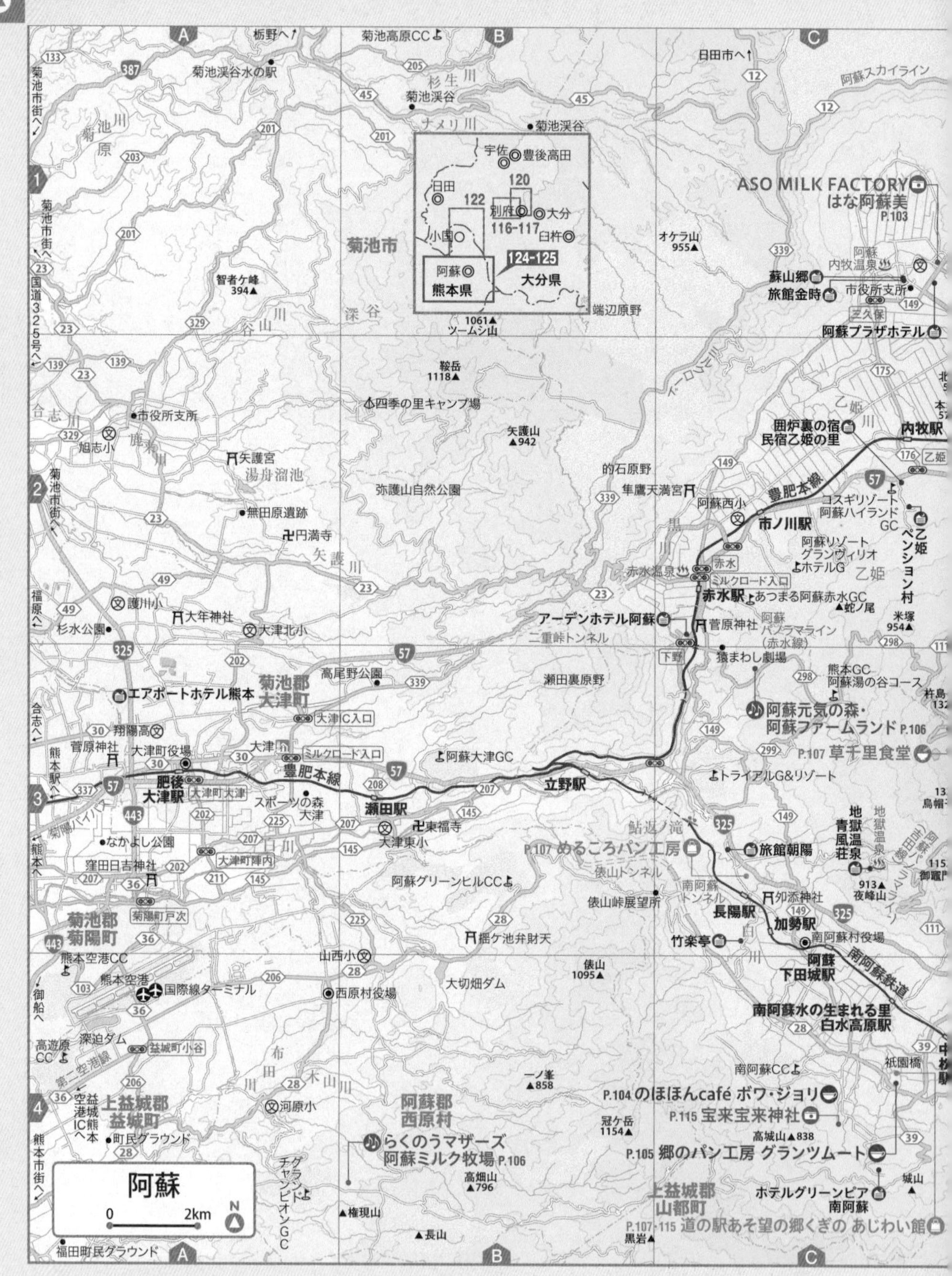

※平成28年（2016）熊本地震の影響により、阿蘇周辺の道路に通行規制の箇所がありますので、おでかけの際には最新の情報をご確認ください。

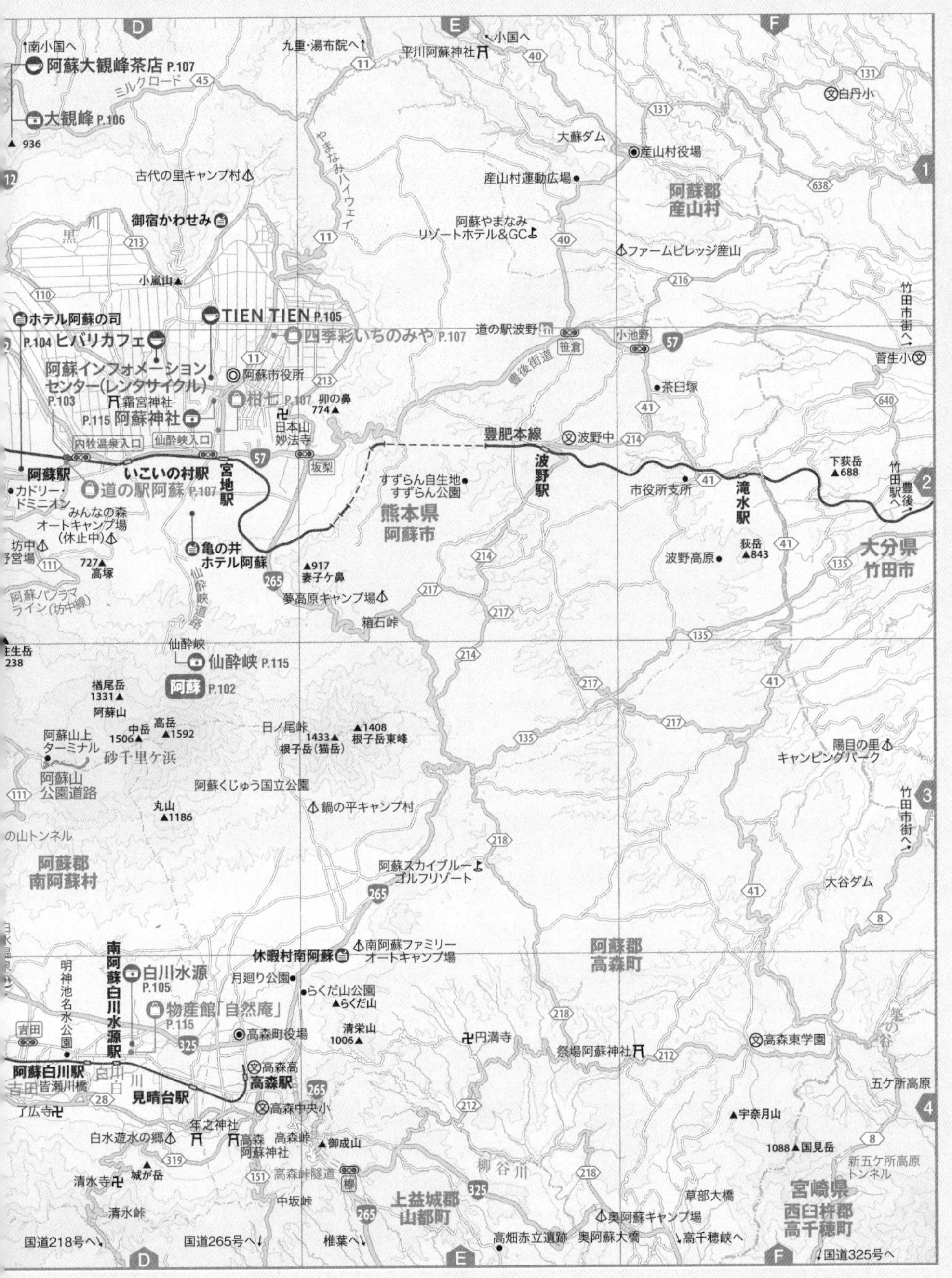
阿蘇大観峰茶店 P.107
大観峰 P.106
古代の里キャンプ村
御宿かわせみ
小嵐山
ホテル阿蘇の司
TIEN TIEN P.105
ヒバリカフェ
四季彩いちのみや P.107
阿蘇インフォメーションセンター(レンタサイクル) P.103
阿蘇市役所
霜宮神社
阿蘇神社 P.115
柑七 P.107
日本山妙法寺
阿蘇駅
いこいの村駅
宮地駅
道の駅阿蘇 P.107
カドリー・ドミニオン
みんなの森オートキャンプ場(休止中)
亀の井ホテル阿蘇
仙酔峡 P.115
阿蘇 P.102
杵島岳
中岳
高岳
根子岳(猫岳)
阿蘇くじゅう国立公園
砂千里ケ浜
鍋の平キャンプ村
阿蘇郡南阿蘇村
南阿蘇白川水源駅
白川水源 P.105
物産館「自然庵」 P.115
休暇村南阿蘇
南阿蘇ファミリーオートキャンプ場
阿蘇白川駅
見晴台駅
高森駅
高森町役場
円満寺
阿蘇郡高森町
祭場阿蘇神社
高森東学園
上益城郡山都町
宮崎県西臼杵郡高千穂町
奥阿蘇キャンプ場
熊本県阿蘇市
大分県竹田市
波野駅
滝水駅
豊肥本線
道の駅波野
阿蘇郡産山村
産山村役場
阿蘇やまなみリゾートホテル&GC
ファームビレッジ産山
大蘇ダム
すずらん自生地すずらん公園
夢高原キャンプ場
陽目の里キャンピングパーク
阿蘇スカイブルーゴルフリゾート
大谷ダム
国見岳
宇奈月山

INDEX さくいん

湯布院

別府

観光みどころ　プレイスポット　レストラン・食事処　カフェ・喫茶　居酒屋・BAR　みやげ店・ショップ　宿泊施設　立ち寄り湯

黒川・小国郷

阿蘇

ココミル cocomiru

湯布院 別府 阿蘇 黒川温泉

九州⑥

2024年7月15日初版印刷
2024年8月1日初版発行

編集人：田中美穂
発行人：盛崎宏行
発行所：JTBパブリッシング
〒135-8165
東京都江東区豊洲5-6-36　豊洲プライムスクエア11階

編集・制作：情報メディア編集部
取材・編集：K&Bパブリッシャーズ／木津裕子／諸岡浩子／小川浩之
大門義明／Fe.／平川菜穂／トゥインクル（星川功一／鈴木優子）
栗原華恵／宮本喜代美／江月義憲／渡邊真季／宮崎由希子／山田陽子
間貞麿／佐川印刷

アートディレクション：APRIL FOOL Inc.
表紙デザイン：APRIL FOOL Inc.
本文デザイン：APRIL FOOL Inc.／M+Y+M+T／ユカデザイン
パパスファクトリー／東画コーポレーション（三沢智広）
K&Bパブリッシャーズ／和泉真帆
イラスト：平澤まりこ
撮影・写真：中西ゆき乃／松隈直樹／藤野拓人／広瀬麻子（studio hál）
笠井鉄正／草野清一郎／神代恭子（マル・ベリー・プロモーション）
松尾佳苗(ITR entertainment)／アフロ(片岡巌、新海良夫)／PIXTA
ツーリズムおおいた／関係各市町村観光課・観光協会
地図：千秋社／ゼンリン／ジェイ・マップ
組版・印刷所：佐川印刷

編集内容や、商品の乱丁・落丁の
お問合せはこちら

JTB パブリッシング お問合せ

https://jtbpublishing.co.jp/
contact/service/

本書に掲載した地図は以下を使用しています。
測量法に基づく国土地理院長承認（使用）R 5JHs 167-282号
測量法に基づく国土地理院長承認（使用）R 5JHs 168-119号

●本書掲載のデータは2024年5月末日現在のものです。発行後に、料金、営業時間、定休日、メニュー等の営業内容が変更になることや、臨時休業等で利用できない場合があります。また、各種データを含めた掲載内容の正確性には万全を期しておりますが、お出かけの際には電話等で事前に確認・予約されることをお勧めいたします。なお、本書に掲載された内容による損害賠償等は、弊社では保障いたしかねますので、予めご了承くださいますようお願いいたします。●本書掲載の商品は一例です。売り切れや変更の場合もありますので、ご了承ください。●本書掲載の料金は消費税込みの料金ですが、変更されることがありますので、ご利用の際はご注意ください。入園料などで特記のないものは大人料金です。●定休日は、年末年始・お盆休み・ゴールデンウィークを省略しています。●本書掲載の利用時間は、特記以外原則として開店（館）～閉店（館）です。オーダーストップや入店（館）時間は通常閉店（館）時刻の30分～1時間前ですのでご注意ください。●本書掲載の交通表記における所要時間はあくまでも目安ですのでご注意ください。●本書掲載の宿泊料金は、原則としてシングル・ツインは1室あたりの室料です。1泊2食、1泊朝食、素泊に関しては、1室2名で宿泊した場合の1名料金です。料金は消費税、サービス料込みで掲載しています。季節や人数によって変動しますので、お気をつけください。●本誌掲載の温泉の泉質・効能等は、各施設からの回答をもとに原稿を作成しています。

本書の取材・執筆にあたり、
ご協力いただきました関係各位に厚くお礼申し上げます。

おでかけ情報満載　https://rurubu.jp/andmore/

243230　280342
ISBN978-4-533-15962-6　C2026

2408